Telis Marin
Pierangela Diadori

VIA DEL CORSO

Corso di italiano per stranieri

LIBRO DELLO STUDENTE ED ESERCIZI

1

Ispirato a una storia vera

EDILINGUA

I edizione: luglio 2017

ISBN: 978-88-98433-63-6 (Libro + 2 CD + 1 DVD)
ISBN: 978-88-98433-61-2 (solo Libro)
ISBN: 978-88-98433-65-0 (Edizione per insegnanti)

Redazione:
Laura Piccolo, Antonio Bidetti, Anna Gallo, Elisa Sartor
Ripassi a cura di Elisa Sartor
La rubrica *Italia&italiani* a cura di Anna Gallo
Approfondimento grammaticale a cura di Laura Piccolo

Impaginazione e progetto grafico:
Edilingua

Foto:
© Shutterstock, © Flickr, © Telis Marin

Tavole a fumetti:
Giancarlo Caracuzzo (Scuola Romana dei Fumetti)

Illustrazioni:
Massimo Valenti, Giancarlo Caracuzzo, Marina Cremonini

Produzione video - Registrazioni audio:
Autori Multimediali, Milano

Attori del videocorso:
Valentina Coletta, Marco D'Angelo, Francesca Del Fa,
Luigi Patti; Francesca Antonucci, Alessia Ieluzzi,
Valentina Romanelli, Agnese Toneguzzo

Attori delle registrazioni audio:
Francesca Antonucci, Giampiero Bartolini, Rita Colantonio,
Valentina Coletta, Marco D'Angelo, Francesca Del Fa, Maurizio
Di Girolamo, Lisa Genovese, Jessica Granato, Alessia Ieluzzi,
Giuseppe Magazzù, Paola Masciadri, Barbara Monaco, Luigi
Patti, Valentina Romanelli, Agnese Toneguzzo, Enrico Vaioli

© **Copyright edizioni Edilingua**
Sede legale
Via Alberico II, 4 - 00193 Roma
Tel. +39 06 96727307
Fax +39 06 94443138
info@edilingua.it
www.edilingua.it

Deposito e Centro di distribuzione
Via Moroianni, 65 - 12133 Atene
Tel. +30 210 5733900
Fax +30 210 5758903

Gli autori apprezzerebbero, da parte dei colleghi, eventuali
suggerimenti, segnalazioni e commenti sull'opera
(da inviare a redazione@edilingua.it).

Telis Marin è direttore di Edilingua, insegnante e formatore di insegnanti di italiano L2, in Italia e all'estero. Dopo la laurea in Lettere moderne e il Master ITALS in Didattica e promozione della lingua e della cultura italiana a stranieri, ha insegnato in varie scuole d'italiano per stranieri. L'esperienza didattica diretta lo ha portato a realizzare diversi materiali per l'apprendimento dell'italiano, quali *Nuovo Progetto italiano 1, 2, 3* (Libro dello studente), *Progetto italiano Junior 1, 2, 3* (Libro di classe), *La Prova Orale 1 e 2, Primo Ascolto, Ascolto Medio, Ascolto Avanzato, Vocabolario Visuale,* i videocorsi di *Nuovo Progetto italiano* e *Progetto italiano Junior.*
Negli ultimi anni si è occupato di tecnologie per la didattica delle lingue: frutto dell'approfondimento e della ricerca su queste tematiche è la piattaforma *i-d-e-e.it.*
Ha ideato *Via del Corso* ed è autore del Libro dello studente e del videocorso.

A mia moglie e a mia figlia

Pierangela Diadori è Professore Ordinario di Linguistica italiana presso l'Università per Stranieri di Siena dove insegna Didattica dell'italiano L2 nei corsi di laurea, laurea magistrale e nella Scuola di Specializzazione. Dal 2005 è Direttore del Centro di Ricerca e Servizi DITALS dell'Università per Stranieri di Siena, dedicato alla formazione certificata dei docenti di italiano a stranieri, dirige la collana *NUOVA DITALS* ed è coautrice della collana *Impariamo l'italiano con i fumetti*, entrambe edite da Edilingua.
Ha coordinato vari progetti di ricerca internazionali e ha pubblicato numerosi saggi e monografie.
Ha pubblicato diverse opere di carattere didattico per l'insegnamento dell'italiano a stranieri.
È autrice dell'Eserciziario di *Via del Corso.*

A Beatrice-Meltemi

Gli autori sentono il bisogno di ringraziare gli amici insegnanti Hammadi Agrebi, Rim Ben Ayed Chemima, Laura Morano, Mario Pace, Gábor Salusinszky e Natia Sità per aver preso visione del corso e averlo sperimentato nelle loro classi.
Un ringraziamento particolare va a Eleonora Spinosa e Andrea Cagli che hanno collaborato alla stesura dell'Eserciziario.

Grazie all'adozione di questo libro, Edilingua adotta a distanza dei bambini che vivono in Asia, in Africa e in Sud America. Perché insieme possiamo fare molto! Ulteriori informazioni nella sezione "Chi siamo" del nostro sito.

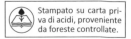

Stampato su carta priva di acidi, proveniente da foreste controllate.

Perché *Via del Corso*?

Via del Corso è un innovativo manuale d'italiano per stranieri, frutto di un percorso che concilia anni di esperienza con i più recenti contributi della glottodidattica e della neurolinguistica all'apprendimento linguistico. Perché innovativo?

Il manuale è costruito intorno a una **storia**, ambientata in questo primo volume a Roma. Le storie incuriosiscono, affascinano, ispirano, motivano, coinvolgono, creano empatia e permettono agli studenti di identificarsi con i personaggi. Grazie a questa scelta è stato possibile valorizzare al meglio gli input, orali e scritti, rendendoli più coerenti dal punto di vista comunicativo e pragmatico: non è importante solo cosa viene detto, ma anche da chi, quando, in quale occasione, per quale motivo, distinzioni difficili da cogliere quando gli input sono totalmente slegati. Gli studenti sono esposti alla lingua viva, a dialoghi naturali, con interiezioni, segnali discorsivi ed espressioni di uso quotidiano da riutilizzare liberamente per esprimersi.

La storia funge da catalizzatore del processo di apprendimento. Utilizzando il potere evocativo delle emozioni, che sono la chiave per aprire il cuore e stimolare il cervello, lo studente impara quasi senza accorgersene. La storia è una *commedia noir*, grazie alla quale gli apprendenti vengono esposti alle caratteristiche di entrambi i generi: curiosità, interesse, umorismo, suspense, colpi di scena in un continuo alternarsi. Seguendo le avventure dei protagonisti, gli studenti incontrano una grande varietà di situazioni autentiche e attraverso attività motivanti e coinvolgenti sono in grado di **comunicare** fin dalle prime pagine.

La storia viene raccontata attraverso una **sit-com** e una **graphic novel** che si alternano: i fotogrammi, le tavole a fumetti, e in genere le immagini accattivanti, sono notoriamente più potenti e immediate del testo, a livello motivazionale e cognitivo, e abbassano il filtro affettivo. Video e tavole sono pienamente integrati nella struttura del corso e non costituiscono una semplice risorsa supplementare. Per agevolare lo svolgimento della lezione, tutti gli episodi video sono presenti anche nel CD audio sotto forma di radiodramma, mentre le storie a fumetti sono disponibili anche in versione animata nel DVD. *Dulcis in fundo*, per coinvolgere ulteriormente gli studenti, abbiamo ideato una storia interattiva: sono loro stessi a scegliere il finale da ascoltare!

Gli elementi lessicali, comunicativi e grammaticali più importanti vengono sistematicamente ripresi, spesso anche all'interno della stessa unità, così come in quelle successive e nell'Eserciziario, in un continuo *macro e micro-* **approccio a spirale**. Questo, come hanno dimostrato diversi studiosi (Medina, Ebbinghaus ecc.), permette agli studenti di consolidare i nuovi input nella memoria a lungo termine. Lo stesso procedimento è stato applicato nella realizzazione di tutti i materiali extra: test, autovalutazione, giochi ecc.

Un altro aspetto centrale del corso è l'**approccio induttivo**: seguendo la sequenza motivazione-globalità-analisi-sintesi-riflessione, nessun elemento viene presentato in maniera passiva. Gli studenti vengono costantemente invitati, attraverso attività guidate, a scoprire i nuovi input, a formulare e a verificare ipotesi. Questo viene abbinato al concetto dell'*interconnessione*: ogni attività introduce quelle successive, ogni episodio della storia prepara e crea aspettative per quello successivo.

Sappiamo bene che la paura di sbagliare o le attività lunghe o troppo difficili innalzano nello studente un **filtro affettivo** che riduce o addirittura blocca l'acquisizione. Allo scopo di tranquillizzare e favorire lo studente, si è optato per unità brevi, dove si è cercato di raggiungere un equilibrio tra i diversi input: vengono presentati gli elementi effettivamente utili per quel determinato livello e non esaustive liste di vocaboli, espressioni ed eccezioni grammaticali, che lo studente non potrebbe comunque assimilare. Si segue una progressione molto graduale con la ripresa, nelle unità o nei volumi successivi, di situazioni e argomenti già noti, e con il consolidamento delle conoscenze e il loro ampliamento. Il materiale autentico è introdotto tenendo conto delle stesse considerazioni e mai all'inizio di un'unità.

Consapevoli della validità delle **attività ludiche**, che rendono lo studente sempre più protagonista del proprio percorso di apprendimento, ne sono state inserite diverse, originali, brevi e semplici, nel Libro dello studente, nell'Eserciziario, nei Ripassi, nella Guida didattica e sulla piattaforma i-d-e-e.it, dove si possono trovare numerosi giochi in chiave *gamificata*. Inoltre, *Via del Corso* è accompagnato dal proprio gioco digitale e dal proprio gioco di società!

Nell'ambito di una didattica più attiva, vengono spesso proposte attività di *problem solving, information gap, task-based* e di tipo cooperativo. Lo scopo è tenere sempre alta la motivazione, coinvolgere maggiormente gli studenti e incoraggiare l'interazione fra di loro.

La struttura del corso

Nelle unità del Libro dello studente è stato raggiunto un equilibrio fra una struttura stabile e affidabile, un punto fermo per lo studente e l'insegnante, e una grande varietà di input (testuali e audio-visivi).

PRIMA PARTE	**p. 1**	*Pronti?*: motivazione iniziale con l'attivazione delle preconoscenze e il coinvolgimento emotivo degli studenti. Le attività di preascolto e prelettura hanno lo scopo di stimolare la curiosità e facilitare la comprensione.
	p. 2	Sit-com o graphic novel: il primo dei due episodi dell'unità.
	p. 3	Attività di comprensione orale e scritta, scoperta e riutilizzo di espressioni del testo e delle funzioni comunicative.
	p. 4	Scoperta e riutilizzo della grammatica e del lessico.
SECONDA PARTE	**p. 5**	Graphic novel o sit-com: il secondo episodio dell'unità.
	p. 6	Attività di comprensione orale e scritta, scoperta e riutilizzo di espressioni del testo e delle funzioni comunicative.
	p. 7	Scoperta e riutilizzo della grammatica e del lessico.
	p. 8	Attività di ascolto e di scrittura, di produzione libera orale, attività ludiche, test psicologici, materiale autentico ecc.
	p. 9	*Italia&italiani*: pagina sulla cultura e la civiltà italiana, accompagnata da un video.
	p. 10	*Sintesi*: sistematizzazione degli elementi comunicativi e grammaticali dell'unità.

Ripassi: attività di ricapitolazione ogni 3 unità didattiche; motivanti e originali giochi didattici rendono più divertente e collaborativo il processo di apprendimento.

Eserciziario: attività varie e creative per consolidare gli elementi grammaticali, comunicativi, lessicali e culturali non solo dell'unità di riferimento, ma anche di quelle precedenti.

Approfondimento grammaticale: i fenomeni grammaticali incontrati nelle unità, approfonditi in maniera semplice per una migliore consultazione.

Attività A/B: compiti comunicativi, spesso con modalità ludiche, in cui ogni studente dispone di informazioni diverse (fornite in appendice) ed è chiamato a colmare il *gap* informativo in maniera creativa.

Buon lavoro!
Telis Marin

Legenda dei simboli

 Ascoltate la traccia n. 29 del CD audio 1.

 Guardate il video (sul DVD o su www.i-d-e-e.it).

 Role-play

 Attività ludica

 Attività in coppia

 Attività comunicativa con *gap* informativo

 Attività orale libera

 $\frac{\text{es. 1-3}}{\text{p. 153}}$ Fate gli esercizi 1-3 a pagina 153.

 Produzione scritta (30-40 parole)
30-40

 Fate il test di Autovalutazione su www.i-d-e-e.it.
Test

 Attività in gruppo

COMUNICAZIONE	LESSICO	GRAMMATICA	MATERIALE VIDEO

COMUNICAZIONE	LESSICO	GRAMMATICA	MATERIALE VIDEO

COMUNICAZIONE	LESSICO	GRAMMATICA	MATERIALE VIDEO

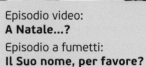

COMUNICAZIONE	LESSICO	GRAMMATICA	MATERIALE VIDEO

In questa unità impariamo a:

- presentarci
- fare lo spelling in italiano
- presentare qualcuno
- salutare
- contare fino a 10

Piacere!

Pronti?

1 Questi sono i protagonisti del nostro libro. Ascoltate o guardate l'animazione.

> CIAO, IO SONO ANNA!

> PIACERE, BRUNO!

> BENVENUTI! IO SONO CARLA.

> E IO SONO GIANNI!

2 Sfogliate il libro: guardate foto e fumetti come questi e fate ipotesi sulla storia.

3 Cosa dicono Anna e Gianni per presentarsi? Presentatevi alla classe.

es. 1-3
p. 153

A) Come si scrive?

 1 *Ascoltate e poi leggete i mini dialoghi.*

Ciao, io sono Cesare.

Come si scrive?

C-e-s-a-r-e.

Ciao, io sono Chiara.

Come si scrive?

C-h-i-a-r-a.

 2 *Ascoltate e ripetete le parole. Osservate le lettere in* blu.

cane

scuola

banco

cinema

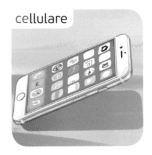
cellulare

macchina

pacchetto

 3 *Ascoltate le frasi e indicate con una* ✘ *le parole che sentite.*

◯ amica ◯ cuore ◯ simpatico ◯ maschera

◯ Chiara ◯ cinque ◯ centro ◯ città

4 Ascoltate e cerchiate le lettere che sentite due volte, come nell'esempio in blu.
Poi leggete tutte le lettere.

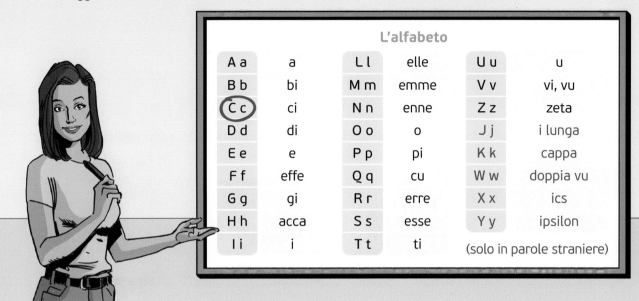

L'alfabeto

A a	a	L l	elle	U u	u
B b	bi	M m	emme	V v	vi, vu
C c	ci	N n	enne	Z z	zeta
D d	di	O o	o	J j	i lunga
E e	e	P p	pi	K k	cappa
F f	effe	Q q	cu	W w	doppia vu
G g	gi	R r	erre	X x	ics
H h	acca	S s	esse	Y y	ipsilon
I i	i	T t	ti		(solo in parole straniere)

5 Ascoltate e poi pronunciate
lettera per lettera
le parole a destra.

p a g i n a   *p i a c e r e*   *c i n e m a*
m u s i c a   *c i a o*   *m a c c h i n a*

6 a Lavorate in coppia.
Ognuno sceglie un nome
e dice tre lettere,
non in ordine.
Il compagno deve capire
quale nome è.

Michele
Marco
Federico
Francesco

Alice
Francesca
Beatrice
Michela

b Fate mini dialoghi simili
a quelli dell'attività A1.

Come si scrive?

es. 4-6
p. 154

B **Buongiorno, ragazzi!**

1 Ascoltate e leggete le frasi. Poi rileggete solo le parti in rosso.

Chi è questo ragazzo?

Buongiorno, ragazzi!

Leggete i due dialoghi!

Ascoltate il dialogo.

Buono questo gelato!

Come sono gli spaghetti?

Amo la lingua italiana!

 2 Ascoltate e scrivete le parole sul pacco giusto.

es. 7
p. 154

 3 Ascoltate e completate le frasi. Poi scrivete i sostantivi in rosso nella tabella, come nell'esempio in blu.

Aprite il libr___.

Due ragazz___ italiani.

La macchin___ di Gianni.

Leggete le parol___.

Che cosa significa "nom___"?

Quattro student___ stranieri.

Carla è insegnant___.

Guardate le immagin___.

I sostantivi

maschile		femminile	
singolare	plurale	singolare	plurale
ragazzo	_ragazzi_	parola	_____
_____	nomi	immagine	_____

4 Guardate le immagini e completate le frasi con e, e, a, a, i, i.

...cere! Tu sei studente di archeologia?
Sì, e tu sei insegnante?
Sì, sono insegnante d'italiano!
D'italiano per stranieri?

A che pagin___ siamo?

Le ragazz___ sono in classe.

Hai due cellular___?!

Quanti student___ siete?

Questo è il mio can___.

Una pizz___ margherita!

es. 8-10
p. 154

C Lui è Gianni!

1 Torniamo ai nostri protagonisti! Ascoltate il dialogo o guardate il video.
Poi leggete da soli o con tre compagni.

Anna: Ciao ragazzi! Lei è Carla.
Bruno: Ciao, io sono Bruno. E lui è Gianni.
Gianni: Piacere! Gianni!

Carla: Piacere! Carla! Tu sei studente di archeologia?
Bruno: Sì, e tu sei insegnante?
Carla: Sì, sono insegnante d'italiano!
Gianni: D'italiano per stranieri?

2) *Rileggete il dialogo di pagina 13 e completate le frasi.*

 3) *Adesso ascoltate e controllate le vostre risposte.*

 4) *Role-play in 3. Presentate un amico al vostro compagno come fa Anna a pag. 13.*

Il verbo **essere**

 **5**) *A coppie completate la tabella.*

io	_____ Bruno.	noi	siamo amici.
tu	_____ professore.	voi	siete studenti.
lui, lei	_____ italiano/a.	loro	sono italiani?

es. 11-12
p. 155

6 Fate frasi con il verbo *essere* e gli aggettivi dati, come nell'esempio. Poi completate la tabella.

> Lei è bella.

belle   simpatico   contenti   simpatica   belli   bella

Gli aggettivi in -o

Bruno è bravo. → Ragazzi, siete brav___!
Carla è brava. → Ragazze, siete brav___!

es. 13-14
p. 156

D) Ciao!

1 Ascoltate e indicate con una **✗** i quattro saluti che sentite.

- ⬜ Buongiorno
- ⬜ Buonanotte
- ⬜ Ciao
- ⬜ Buonasera
- ⬜ A domani
- ⬜ Arrivederci

2 Ascoltate di nuovo e abbinate i dialoghi alle immagini. Attenzione: manca un'immagine!

a ⬜

b ⬜

c ⬜

3 *Ascoltate di nuovo e completate i saluti.*

B _____ B _____ B _____

4 *In queste situazioni, a turno, uno di voi saluta e l'altro risponde.*

a. scuola, ore 8

b. scuola, fine della lezione

c. banca, ore 10

d. piazza, ore 5 di pomeriggio

e. dopo una festa, ore 11 di sera

es. 15-17
p. 156

5 a *I numeri da 0 a 10. Cerchiate i numeri che sentite, come nell'esempio in blu.*

MC M+ ÷ X

7 SETTE 8 OTTO 9 NOVE – MENO

4 QUATTRO 5 CINQUE 6 SEI + PIÙ

1 UNO 2 DUE 3 TRE =

0 ZERO . UGUALE

DIECI

b *Scrivete la somma (... + ... =) dei due numeri non cerchiati.*

6 *Cerchiate, in orizzontale (→) e in verticale (↓), le altre 7 parole relative alla lezione d'italiano, come nell'esempio in blu.*

S	M	T	D	Q	I	B	A	C	B
C	L	A	S	S	E	S	B	N	S
O	G	I	E	I	A	C	P	C	T
M	L	I	N	G	U	A	A	D	U
P	O	D	P	N	N	V	R	A	D
A	L	F	A	B	E	T	O	S	E
G	P	O	G	F	L	I	L	S	N
N	E	N	I	A	Q	U	A	E	T
O	B	A	N	C	O	E	M	T	I
P	A	G	E	N	E	U	D	D	S

es. 18-21
p. 157

Italia&italiani

L'Italia: regioni, città e monumenti

Questi sono alcuni famosi monumenti italiani. Qual è il più bello, secondo voi?

1 Mole Antonelliana, Torino

2 Duomo di Milano

3 Arena di Verona

4 Basilica di San Marco, Venezia

5 Torre di Pisa

6 Duomo di Firenze

7 Colosseo, Roma

8 Reggia di Caserta

9 Trulli di Alberobello, Bari

10 Valle dei Templi, Agrigento

es. 1-2
p. 158

COMUNICAZIONE

Fare lo spelling in italiano

• Come si scrive?	• Ci-e-esse-a-erre-e.

Presentarsi	Presentare qualcuno
• Ciao, io sono Cesare. • E io sono Chiara. Piacere! / Chiara, piacere!	Lui è Gianni. Lei è Carla.

Salutare

Ciao! Arrivederci! Buongiorno! Benvenuti!	Buonasera! Buonanotte! A domani!

GRAMMATICA

L'alfabeto

						In parole straniere	
A a	a	H h	acca	Q q	cu	J j	i lunga
B b	bi	I i	i	R r	erre	K k	cappa
C c	ci	L l	elle	S s	esse	W w	doppia vu
D d	di	M m	emme	T t	ti	X x	ics
E e	e	N n	enne	U u	u	Y y	ipsilon
F f	effe	O o	o	V v	vi, vu		
G g	gi	P p	pi	Z z	zeta		

I sostantivi

maschile		femminile	
singolare	plurale	singolare	plurale
ragazzo	ragazzi	parola	parole
nome	nomi	immagine	immagini

Presente indicativo di essere

io	sono
tu	sei
lui, lei	è
noi	siamo
voi	siete
loro	sono

Gli aggettivi in -o

maschile		femminile	
singolare	plurale	singolare	plurale
bravo	bravi	brava	brave

I numeri da 0 a 10

0	zero	4	quattro	8	otto
1	uno	5	cinque	9	nove
2	due	6	sei	10	dieci
3	tre	7	sette		

In questa unità impariamo a:

▶ chiedere e dire come si sta (I)
▶ ringraziare (I)
▶ chiedere e dire il nome
▶ chiedere e dire la nazionalità
▶ chiedere e dire l'età
▶ contare fino a 30

La classe di Carla

Unità **2**

Pronti?

1 *Abbinate le parole alle foto, come nell'esempio in blu.*

a. scuola   b. aula   c. lezione   d. studente   e. zaino   f. professoressa   g. lavagna

2 *Che lavoro fa Carla? Voi perché studiate l'italiano?*

3 *Ascoltate il dialogo: dove siamo? Chi sono le persone che parlano? Poi fate l'attività A1.*

20

A) Di dove sei?

1 Riascoltate e leggete il dialogo o guardate l'animazione. Poi rispondete alle domande.

a. Come si chiama la studentessa inglese? Di dov'è?
b. Come si chiama lo studente egiziano? Di dov'è?
c. Come sta Carla alla fine della lezione?

2 Abbinate le frasi in blu a quelle in rosso.

- Io sono Antonio.   - Sono di Pechino.
- Di dove sei?   - Bene, grazie!
- Come stai?   - Piacere!

3 In coppia fate mini dialoghi con le espressioni dell'attività 2.

es. 1
p. 159

4 **a** Quante ore di lezione alla settimana ha Carla? Abbinate le parole, che sono in ordine, ai numeri, come nell'esempio in blu.

I numeri da **11** a **20**

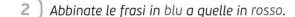

| undici | dodici | tredici | quattordici | quindici |

17 **16** **18** **20** **19**
11 **13** **12** **15** **14**

| sedici | diciassette | diciotto | diciannove | venti |

b Ascoltate e ripetete i numeri.

es. 2
p. 159

5 In coppia, completate i due mini dialoghi. Ascoltate per controllare le vostre risposte.
Poi completate la tabella a destra.

1. • Come ti _____?
   • Giorgio, e tu?
   • Io _____ chiamo Stefania. Piacere!

2. • _____ si chiama questo studente?
   • Si chiama David, è americano.

Il verbo chiamarsi

io	_____ chiamo
tu	_____ chiami
lui, lei	si _____

6 Con un compagno fate mini dialoghi con le espressioni a destra.

Come ti chiami? Come si scrive?

Piacere! Di dove sei? Come stai?

B Kate è inglese

 1 Ascoltate la nazionalità di alcuni studenti di Carla, trovate gli aggettivi che sentite nel parolone sotto e separateli con una barra (|) come nell'esempio in blu.

t u n i s i n o | c i n e s e s p a g n o l a r u s s i b r a s i l i a n i a r g e n t i n o i n g l e s i f r a n c e s i

2 Ora guardate le foto e la tabella sotto e fate frasi come nell'esempio: *Hammadi è tunisino.*

Hammadi

Ivan e Anya

Liang

Kate e Mary

Pierre e Amelie

Rafael e Paulo

Javier

Carmen

Aggettivi in -e

John è inglese.   John e Paul sono inglesi.
Kate è inglese. ➜ Kate e Anne sono inglesi.
Anna è gentile.   Anna e Gianni sono gentili.

 3 Presentatevi alla classe, come nell'esempio.

Ciao, mi chiamo Andrea. Sono italiano, di Roma.

es. 3-4 p. 160

 Chiudete il libro e ascoltate il dialogo: di chi parlano i due ragazzi? Quali aggettivi usano per descrivere questa persona? Poi fate l'attività C1.

Torniamo alla storia

Bruno: Bella Carla, no?
Gianni: ...Carina.

Bruno: Solo carina?!
Gianni: Ok, è bella, contento? Ma... ha il ragazzo?

Bruno: Boh, perché? Scherzo! No, non ha il ragazzo.
Gianni: Perfetto! E quanti anni ha?

Bruno: Mah... 26-27.
Gianni: Bene!

Bruno: Ma perché? Credi che tu e Carla...
Gianni: E perché no?!

Bruno: Ma perché... è troppo bella... per te!
Gianni: Ma vai!

C) Ha il ragazzo?

 1 Guardate il video o ascoltate di nuovo il dialogo e fate l'abbinamento, come nell'esempio in blu.

1. Carla è
2. Carla non
3. Gianni chiede
4. Carla ha
5. Secondo Bruno, Carla

a. ha il ragazzo.
b. carina e bella.
c. l'età di Carla.
d. è troppo bella per Gianni!
e. 27 anni.

2 Leggete il dialogo a pag. 23 (da soli o con un compagno) e controllate le vostre risposte.

3 In coppia, completate i mini dialoghi con le frasi in blu del dialogo.

• Paolo ha la ragazza?

• _____(1)

• _____(2)

• Sì, molto bella!

• Quanti anni ha Maria?

• _____(3)

es. 5
p. 161

4 Riguardate il video o le foto a pag. 23: che gesto fa Bruno quando dice "credi che tu e Carla..."? E Gianni quando dice "Ma vai!"? Nel vostro Paese ci sono gesti simili?

D) Quanti anni ha Carla?

 1 Completate i numeri. Poi ascoltate e controllate le vostre risposte.

ventuno

venti_____

ventitré

ventiquattro

venti_____

venti_____

ventisette

ventotto

venti_____

trenta

2 Completate il mini dialogo con *ho* e *hai*.

Maria, quanti anni _____?

_____ 25 anni, e tu?

 3 *"Quanti anni ha...?"* In coppia, fate delle ipotesi sull'età dei protagonisti. Uno di voi fa la domanda e l'altro risponde con *"Secondo me, Gianni..."*.

4 Adesso completate la tabella.

Il verbo **avere**

io	_____	noi	abbiamo	
tu	_____ 30 anni.	voi	avete	lezione.
lui, lei	_____	loro	hanno	

• Hai lezione?
• No, non ho lezione.

5 Formate delle frasi con il verbo *avere* alla persona indicata dal dado (1 = io, 2 = tu, 3 = lui/lei, 4 = noi, 5 = voi, 6 = loro) e le parole date, come nell'esempio.

Lei ha molti libri.

molte idee   fame   due gatti   fretta   23 anni

es. 6-7
p. 161

E) Mamma mia, le doppie!

1 In coppia, trovate e scrivete parole delle sezioni A-D con le doppie consonanti (ad esempio, *"gatti"*). Vince la coppia che trova più parole!

_____
_____
_____
_____
_____

 2 Ascoltate e ripetete le parole.

cc macchina   **gg** aggettivo   **mm** mamma   **rr** Ferrari
ff caffè   **ll** bella   **nn** hanno   **tt** lettera

3 Ascoltate e scrivete le parole. Poi leggete.

es. 8-9
p. 162

F) Sì o no?

1 Giocate in coppia. Ognuno di voi sceglie un'immagine: A chiede "Hai... ?"
e B risponde "Sì, ho..." oppure "No, non ho...". Poi i ruoli cambiano.
Vince lo studente che indovina cosa ha il compagno con meno domande!

le penne   il quaderno   la matita   il cellulare   lo zaino   i libri

2 Osservate le parole dell'attività F1 e completate la tabella.

L'articolo determinativo

maschile		femminile	
singolare	plurale	singolare	plurale
___ giorno	i giorni	la donna	___ donne
l'anno	gli anni	l'ora	___ ore
lo studente	gli studenti		
___ zaino	gli zaini		

3 Mettete al plurale o al singolare gli articoli e i sostantivi dell'attività F1.

4 Carichi su Facebook una foto con quattro compagni del corso d'italiano.
Un amico chiede chi sono e tu rispondi (nome, età, nazionalità ecc.).

30-40

es. 10-14
p. 162

Test

Italia&italiani

L'italiano nel mondo

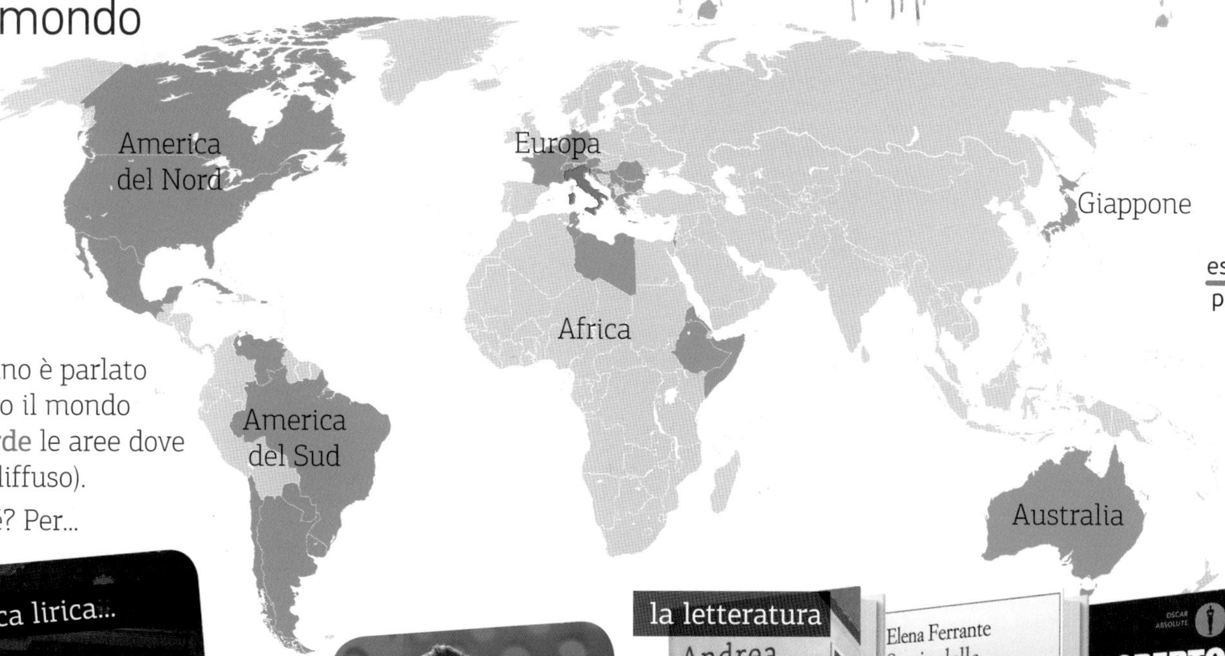

América del Nord

Europa

Giappone

Africa

América del Sud

Australia

es. 1-3
p. 164

L'italiano è parlato in tutto il mondo (in **verde** le aree dove è più diffuso).
Perché? Per...

la musica lirica...

...e leggera

la letteratura

Andrea Camilleri
la prima indagine di montalbano

Elena Ferrante
Storia della bambina perduta
L'AMICA GENIALE
QUARTO E ULTIMO VOLUME

ROBERTO SAVIANO
GOMORRA

il cinema

la moda

il turismo

la gastronomia

l'emigrazione

l'arte

Chiedere a una persona come sta

- Come stai?

Dire come si sta

- Bene.

Ringraziare

Grazie!

Chiedere il nome

- Come ti chiami?
- Come si chiama questo studente?

Dire il nome

- (Io) Mi chiamo Carla.
- Si chiama David.

Chiedere la nazionalità

- Di dove sei?

Dire la nazionalità

- Sono inglese, di Manchester.

Chiedere l'età

- Quanti anni hai?
- Quanti anni ha Carla?

Dire l'età

- Ho 25 anni.
- Carla ha 27 anni.

Presente indicativo di chiamarsi

io	mi chiamo
tu	ti chiami
lui, lei	si chiama

I numeri da 11 a 30

11	undici	16	sedici	21	ventuno	26	ventisei
12	dodici	17	diciassette	22	ventidue	27	ventisette
13	tredici	18	diciotto	23	ventitré	28	ventotto
14	quattordici	19	diciannove	24	ventiquattro	29	ventinove
15	quindici	20	venti	25	venticinque	30	trenta

Gli aggettivi in -e

maschile		femminile	
singolare	plurale	singolare	plurale
inglese	inglesi	inglese	inglesi
gentile	gentili	gentile	gentili

Presente indicativo di avere

io	ho
tu	hai
lui, lei	ha
noi	abbiamo
voi	avete
loro	hanno

L'articolo determinativo

maschile		femminile	
singolare	plurale	singolare	plurale
il giorno	i giorni	la donna	le donne
l'anno	gli anni	l'ora	le ore
lo studente	gli studenti		
lo zaino	gli zaini		

In questa unità impariamo a:

▶ chiedere e dire come si sta (II)
▶ contare fino a 101
▶ esprimere accordo
▶ chiedere spiegazioni
▶ esprimere un parere
▶ chiedere e dire dove si lavora
▶ descrivere l'aspetto fisico

I vicini di casa

Unità 3

Pronti?

1 Guardate i disegni a pag. 30, ma non leggete i testi. Secondo voi, chi è la signora che parla con Anna?

◯ un'amica   ◯ la madre   ◯ una vicina di casa

 2 Osservate le foto. Ascoltate il dialogo e indicate con una ✗ le parole che sentite.

◯ autobus

◯ gelato

◯ capelli

◯ Brescia

◯ avviso (postale)

◯ pacco

◯ svizzera

◯ cognome

 3 Confrontate le vostre risposte con quelle dei compagni. Poi fate l'attività A1.

A) Una strana coppia

1 Ascoltate di nuovo e indicate l'affermazione corretta.

1. Anna torna a casa
   a. in autobus
   b. a piedi
   c. in metro

2. Il cognome di Anna è
   a. Grandi
   b. Ferrara
   c. Ferrari

3. Il pacco è per
   a. Anna
   b. una signora svizzera
   c. la signora Grandi

4. I Ferrara sono una coppia
   a. che litiga spesso
   b. di italiani
   c. molto simpatica

> pacco - pacchi

2 Adesso leggete il dialogo o guardate l'animazione e controllate le vostre risposte. Poi, se volete, rileggete ad alta voce con un compagno.

3 Usate le parole in blu del dialogo per completare le battute sotto le immagini.

1. • Questo è un piccolo regalo per te!
   • _____!

3. • Ciao Marta, _____?
   • Sì, grazie. E tu come stai?

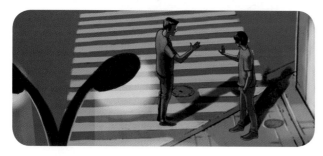

2. • Buonanotte!
   • Buonanotte! _____!

4. • Il film inizia alle 8, non alle 9!
   • _____, alle 8.

es. 1-2
p. 165

B) Prendo l'autobus

1 Sottolineate i verbi nel dialogo di pag. 30. Poi scrivete a destra i verbi che non conoscete.

2 Completate la tabella con i verbi dati.

Presente indicativo: i verbi in -are e -ere

	parlare	prendere
io	_____	prendo
tu	parli	_____
lui, lei	parla	prende
noi	parliamo	_____
voi	parlate	prendete
loro	_____	prendono

prendi

parlano

parlo

prendiamo

3 Lavorate in coppia. Fate una domanda con la forma giusta del verbo in blu. Il compagno guarda i disegni e risponde. Poi i ruoli cambiano.

> Con chi parli?

> Parlo con Maria.

1. Mario, a chi scrivere?
2. Ragazzi, cosa mangiare?
3. Ma loro vivere in Italia o in Francia?
4. Che musica ascoltare Angela?
5. Voi quante e-mail ricevere al giorno?

a un amico

1

un gelato

2

in Francia

3

musica classica

4

più di quaranta

5

es. 3-5
p. 165

4 Scrivete i numeri al posto giusto, come negli esempi in blu. Attenzione: c'è un numero in più!

_____ trenta	_____ settanta	
_____ trentuno	_____ ottantadue	
_____ quaranta	_____ novanta	
_____ cinquantatré	*100* cento	
60 sessanta	_____ centouno	

90 **82** **30** **53**
31 **101** ~~60~~ ~~100~~
70 **92** **40**

es. 6-7
p. 166

Chiudete il libro e ascoltate il dialogo: che cosa ha in comune con il dialogo di pag. 30? Poi fate l'attività C1.

Torniamo alla storia

Carla: Che bello camminare a Roma con questo tempo!
Gianni: ...E in buona compagnia!
Carla: Giusto!

Bruno: Buoni questi gelati!
Carla: Infatti, buonissimi!

Bruno: Allora, Anna, cos'è questa storia dei vicini di casa?
Gianni: Che storia?! Ci sono problemi?

Anna: No, no, solo che nel mio palazzo c'è una coppia un po' strana!
Carla: Cioè?

Anna: Lui torna molto tardi la sera, non saluta mai...
Carla: E va be', questo non è tanto strano.

Anna: ...e ogni settimana ricevono un pacco!
Gianni: Ok, ricevono molti pacchi, e con questo?

Anna: E poi ogni volta che lui riceve un pacco sembra nervoso... arrivano pacchi da tutto il mondo!
Bruno: Mah... e allora?

Carla: Sentite, ragazzi, perché non risolviamo questo "mistero" un'altra volta?
Anna: Hai ragione... ma sono sicura che quest'uomo nasconde qualcosa!

33

C) Il "mistero"

 1 Ascoltate di nuovo il dialogo o guardate il video e indicate con una ✘ se le affermazioni sono vere o false. Poi leggete il dialogo e controllate le vostre risposte.

	V	F
1. Bruno chiede informazioni sui vicini di casa di Anna.	◯	◯
2. Il signor Ferrara non è mai in casa.	◯	◯
3. Carla e Gianni sono molto preoccupati.	◯	◯
4. Per Anna c'è qualcosa di strano.	◯	◯
5. Tutti i pacchi arrivano dalla Svizzera.	◯	◯

 2 **a** In coppia cercate nel dialogo le espressioni per...

esprimere accordo

b In coppia cercate nel dialogo le espressioni per...

chiedere spiegazioni

 3 Giocate a gruppi di tre o quattro.

❭ Uno studente sceglie un'immagine ed esprime un parere, come nell'esempio.

❭ Un compagno risponde con un'espressione dell'attività 2a. Poi esprime un parere su un'altra immagine.

❭ Un altro compagno risponde e così via.

Potete usare più volte la stessa immagine, ma non potete ripetere le frasi dei compagni!

Secondo me, questo film è (non è) molto interessante.

film interessante/noioso

dialogo lungo/corto

ragazza simpatica/antipatica

donna grassa/magra

uomo basso/alto

occhiali grandi/piccoli

es. 8-9
p. 166

4 *Trovate nel dialogo di pag. 33 gli articoli per completare la tabella.*

L'articolo indeterminativo

maschile	femminile
_____ pacco	_____ coppia
_____ uomo	un'amica
uno straniero	
uno zaino	

gelateria

altra città

ufficio

5 *In coppia. A chiede a B dove lavora. B sceglie una foto e risponde "Lavoro in + articolo indeterminativo...". Poi i ruoli cambiano.*

es. 10-11
p. 167

scuola d'italiano

zoo

D Indovina chi...

1 *Ascoltate e scrivete gli aggettivi che sentite: sono importanti per risolvere il prossimo quiz!*

occhi   baffi   capelli

   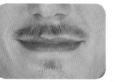   

_____ _____ _____ _____ _____ _____

2 *Ascoltate il dialogo e, in coppia, indicate il signore e la signora Ferrara.*

Massimo Ferrara   Alice Ferrara

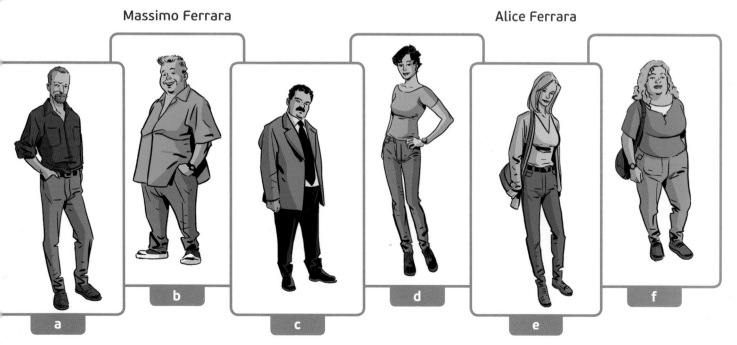

a   b   c   d   e   f

3 Com'è...? *Riascoltate il dialogo e indicate con una* **✗** *gli aggettivi giusti. Nell'ultima colonna scrivete* A *per* azzurri, C *per* castani, N *per* **neri** *e* V *per* verdi.

	È...				Ha i capelli...						Ha gli occhi...
	alto/a	basso/a	magro/a	grasso/a	neri	biondi	rossi	castani	lunghi	corti	
lui											
lei											

4 *Giocate in tre.* A *descrive a* B *uno dei personaggi della storia (pagg. 33 e 35). Se* B *indovina chi è,* A *e* B *vincono un punto. Poi* B *descrive un altro personaggio a* C *e così via. Vince chi arriva per primo a 3 punti!*

> Ha i capelli...

> Ha gli occhi...

> È alto...

> È bruno...

es. 12-14
p. 167

E) C'è una coppia...

1 *In coppia. Osservate l'immagine per 30 secondi. Poi, a libri chiusi, ognuno ha un minuto per scrivere cosa c'è sul tavolo, come nell'esempio. Vediamo chi scrive più frasi corrette!*

C'è un libro.
Ci sono due penne.

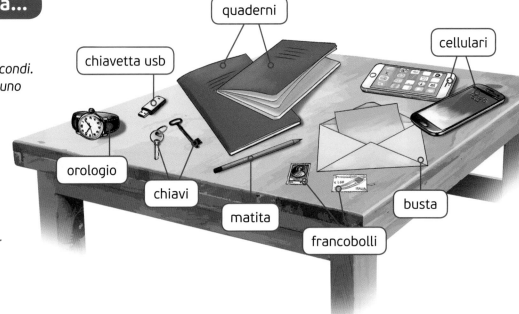

quaderni

cellulari

chiavetta usb

orologio

chiavi

matita

francobolli

busta

2 **a** *Ascoltate le parole. Notate la pronuncia della* s.

risposta	casa	basso	Brescia	maschile	signore

b *Ascoltate più volte e scrivete le parole nelle caselle* celesti, *sotto la pronuncia corrispondente.*

3 *Descrivete (aspetto fisico, età ecc.) un personaggio famoso (un/una cantante, un attore o un'attrice): vediamo se i compagni indovinano chi è.*

30-40

es. 15-18
p. 168

Italia&italiani

Nomi...

Sapete quali sono i nomi più comuni in Italia?
Ecco i primi 10!

I nomi maschili
- Andrea
- Luca
- Marco
- Francesco
- Matteo

I nomi femminili
- Giulia
- Chiara
- Francesca
- Federica
- Sara

Andrea

Sara

Ora leggete i nomi italiani più lunghi!

Sono nomi doppi, cioè due nomi insieme: quali, secondo voi?

es. Mariaddolorata = Maria + Addolorata

Mariagiovanna *Mariacristina*
Pierfrancesco
Mariavittoria
Gianbattista
Mariafrancesca *Mariaddolorata*
Pierdomenico
Mariantonietta
Giandomenico
Giannantonio Michelangelo

Curiosità

*Per fortuna tra amici
è più facile...*

Massimiliano ➔ Max o Massi
Alessandro ➔ Ale o Alex
Francesca ➔ Fra o Franci
Valentina ➔ Vale o Tina

es. 1-4
p. 170

...e cognomi

Alcuni cognomi italiani sono famosi in tutto il mondo:

E voi conoscete altri cognomi?

Sapete che...?

L'Italia è un paese multicolore!

Alcuni colori sono anche dei cognomi italiani, ecco i più comuni:

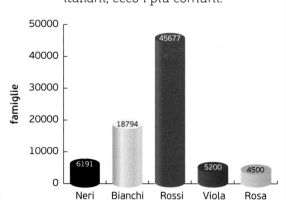

	famiglie
Neri	6191
Bianchi	18794
Rossi	45677
Viola	5200
Rosa	4500

COMUNICAZIONE

Chiedere a una persona come sta

- Come stai?
- Tutto bene?

Dire come si sta

- Sto bene. / • Abbastanza bene.
- Sono molto stanca.

Esprimere accordo

È vero!
Giusto!

Infatti!
Hai ragione.

Chiedere spiegazioni

Cos'è questa storia dei vicini di casa?
Che storia?!
Ci sono problemi?

Cioè?
E con questo?
E allora?

Esprimere un parere

Secondo me, questo film (non) è molto interessante.

Chiedere e dire dove si lavora

- Dove lavori?

- Lavoro in un ufficio / in una scuola / in uno zoo / in un'altra città / in una gelateria.

Descrivere l'aspetto fisico

È basso/a.
È grasso/a.
Ha i capelli neri/biondi/rossi/castani, lunghi/corti.
Ha i baffi.
È bello/a.
È bruno/a.

È alto/a.
È magro/a.
Ha gli occhi neri/verdi/azzurri/castani.
Ha gli occhi grandi/piccoli.
È giovane.
È biondo/a.

GRAMMATICA

Presente indicativo dei verbi regolari di I e II coniugazione

	parlare*	prendere
io	parlo	prendo
tu	parli	prendi
lui, lei	parla	prende
noi	parliamo	prendiamo
voi	parlate	prendete
loro	parlano	prendono

*I verbi in -iare non prendono due i alle persone *tu* e *noi*, ma una sola (*tu mangi, noi mangiamo*).

I numeri da 30 a 101

30	trenta	70	settanta
31	trentuno	80	ottanta
40	quaranta	90	novanta
50	cinquanta	100	cento
60	sessanta	101	centouno

L'articolo indeterminativo

maschile	femminile
un pacco	una coppia
un uomo	un'amica
uno studente	
uno zaino	

c'è   Nel mio palazzo c'è una coppia un po' strana.

ci sono   Ci sono problemi?

1 *Trovate le parole relative alla scuola (4), alle nazionalità (6) e alla descrizione di una persona (10). Poi scrivete le parole nel pacco giusto, come nell'esempio in blu. Attenzione: ci sono sei parole in più!*

QUADERNO SPAGNOLE CINESE AMERICANA BAFFI MASCHERA BELLA MAGRA GELATO OCCHI AZZURRI FRANCESI SONNO UNDICI PROFESSORE OLANDESE ALTO ARGENTINO COPPIA COMPAGNO CAPELLI SIMPATICO BIONDO CARINA MISTERO MATITA

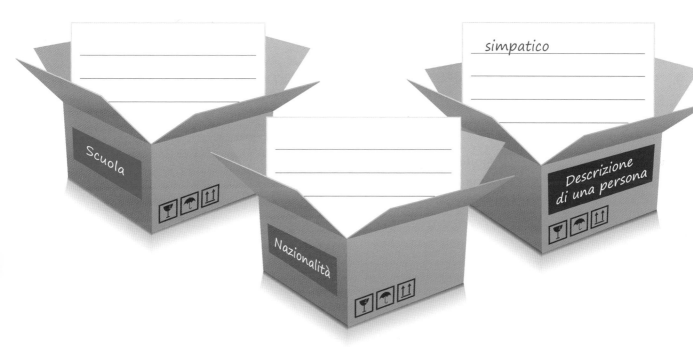

Scuola

_____
_____
_____
_____

Nazionalità

_____
_____
_____

Descrizione di una persona

simpatico
_____
_____
_____

2 *Completate il dialogo con la forma giusta dei verbi e con le parole date.*

Maria: José! Anche tu a lezione con Carla?

José: Sì, Carla è molto brava... e anche carina, no?

Maria: Sì... ha il ragazzo, sai? Hamid, il ragazzo _____ (1).

José: Nooo!

Maria: Sì... e Jenny? Anche lei è carina!

José: Jenny? La ragazza un po' _____ (2), con gli occhiali...?

Maria: Sì, la ragazza americana.

José: Ma non è americana! È _____ (3), di Londra!

Maria: No, no... è di New York! _____ (4. ricevere) sempre pacchi da New York!

José: Hmm... Forse è americana ma _____ (5. vivere) a Londra?

Maria: _____ (6) Ah, _____ (7. arrivare) Jenny! Ora _____ (8. risolvere) insieme il mistero! E così tu _____ (9. parlare) un po' con lei!

José: _____ (10)

> " ma vai! strana boh...! inglese egiziano "

Un giro per Roma

Giocate in 3 o in 3 piccoli gruppi. A turno, tirate il dado e svolgete i compiti proposti.
Se la risposta non è giusta, tornate indietro di due caselle.
Se un giocatore arriva su un compito già svolto, fa un compito extra.
Dopo, il turno passa al giocatore successivo. Vince chi arriva per primo a Villa Borghese.
Attenzione alle caselle colorate: leggete la Legenda!

2. Trova e correggi l'errore: *La pizza sono buona.*

3. Presentati (nome, età, nazionalità, dove lavori).

4. Come si scrive *gelato*? Fai lo spelling.

5. Conta da 10 a 25.

7. Chiedi a un compagno come sta.

8. Qual è la parola estranea? Occhi...
   neri – castani – corti – azzurri – grandi

9. "Sono di Venezia." Fai la domanda.

10. Sono le 11 di sera, vai a casa. Saluta gli amici.

13. Leggi: *chiavi, giorno, banco, centro, inglese.*

14. Quattro oggetti della classe.

15. Qual è l'articolo giusto? *un/uno/una studente*

16. Com'è...? Descrivi una compagna.

17. "Ho 45 anni." Fai la domanda.

19. Qual è il plurale di *problema, pacco, amico?*

21. Come si scrive *macchina*? Fai lo spelling.

22. Quali parole sono femminili?
    problema – case – storia – idee – cinema

23. Leggi e fai la somma: 14 + 8 = ...

24. Le prime tre persone dei verbi *vivere* e *mangiare.*

26. Una parola che inizia con la C [ʧ] di ciao e
    una che inizia con la C [k] di casa.

28. La prima persona dei verbi *chiamarsi, essere, ascoltare, avere.*

30. Leggi questo numero di cellulare: 339 2218592

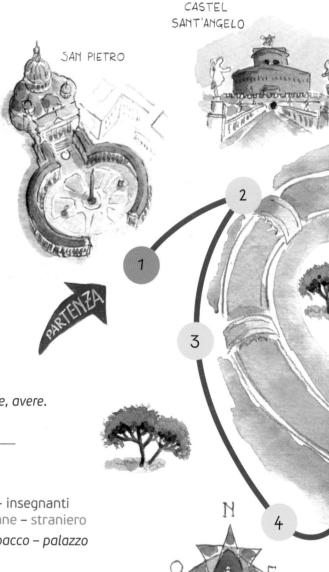

Compiti extra

- Un amico dice: "Oggi sei strano..." Chiedi spiegazioni.
- Abbina sostantivo e aggettivo: ragazzo – vicina – amici – insegnanti
  simpatici – grassa – italiane – straniero
- Se hai fame, cosa prendi? *zaino – cellulare – spaghetti – pacco – palazzo*
- Le ultime tre persone dei verbi *scrivere* e *ascoltare.*
- Qual è il contrario di *basso, interessante, piccolo?*
- Trova l'errore: *Anna è venticinque anni.*
- 5 parole che iniziano per C.
- "Ciao, io sono Lucia." Rispondi.
- Il presente del verbo *stare.*
- 3 saluti.

Legenda
caselle verdi: tirate il dado un'altra volta!
caselle rosse: tornate indietro di tre caselle!

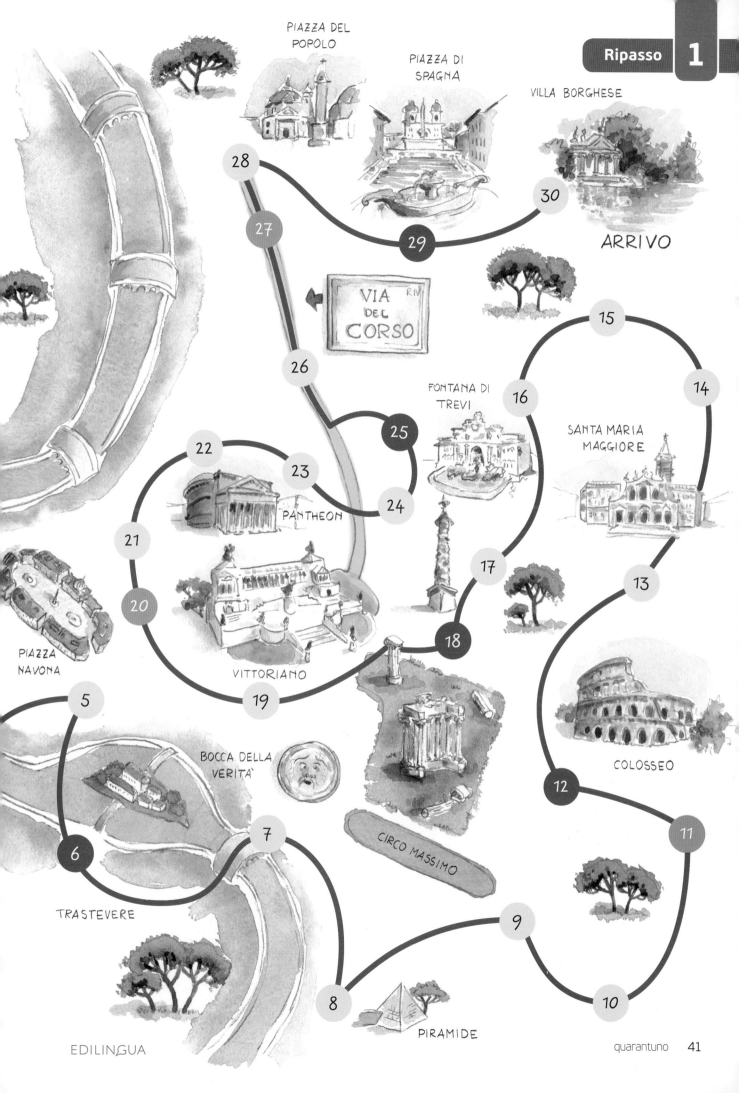

PIAZZA DEL POPOLO

PIAZZA DI SPAGNA

VILLA BORGHESE

28

27

30

29

ARRIVO

VIA DEL CORSO

26

15

16

14

FONTANA DI TREVI

25

SANTA MARIA MAGGIORE

22

23

24

PANTHEON

21

17

13

20

18

PIAZZA NAVONA

VITTORIANO

19

COLOSSEO

5

12

BOCCA DELLA VERITÀ

11

6

7

9

TRASTEVERE

CIRCO MASSIMO

8

10

PIRAMIDE

3 **a** *Che confusione! Leggete ad alta voce le parole. Trovate i sette errori e scrivete le parole nel vaso giusto. Attenzione: la <u>prima parola</u> è sempre corretta!*

[z]

<u>frase</u>
spaghetti
geloso
inglese

[s]

<u>sera</u>
studente
signora
noioso

[sk]

<u>scatola</u>
pesce
stanco

[ʃ]

<u>prosciutto</u>
basso
corso
scuola

b *Ora scrivete nella tabella i sostantivi dell'attività 3a e completate come nell'esempio in blu. Attenzione: un sostantivo è già al plurale!*

articolo	sostantivo	maschile	femminile	plurale	
la	frase		✔	le	frasi
—	—				

Al lavoro! Lui/Lei è...

Lavorate a gruppi di due o tre.

1. *Preparate un breve questionario per conoscere i vostri compagni: nome, cognome, numero di telefono, indirizzo email e la parola preferita delle unità 1-3.*

2. *Girate per la classe: ognuno intervista un compagno. Tornate nel gruppo e create dei biglietti da visita. Inoltre, disegnate o scrivete la parola italiana preferita, come negli esempi a destra.*

3. *Mescolate i biglietti. A turno, prendete un biglietto e presentate il compagno alla classe.*

4. *Se è possibile, attaccate i biglietti sulla cartina (del mondo o del vostro Paese) che avete in classe.*

Museo Roman

Massimo Fer
Direttore

Carla Zucconi
Insegnante

Via Ottoboni 13, ROMA
☐ 06-27018456
✉ carla@yahoo.it

In questa unità impariamo a:

▶ ringraziare (II) e rispondere a un ringraziamento
▶ rispondere al telefono
▶ chiedere e dire il prezzo
▶ esprimere possesso (I)
▶ ordinare al bar
▶ usare la forma di cortesia

Un incontro

Pronti?

1 *In coppia, fate l'abbinamento come nell'esempio in blu.*

a. il tavolino   b. il banco   c. i panini   d. la cassa
e. i cornetti   f. il barista   g. la macchina per il caffè

2 *Nel vostro Paese ci sono locali come quello nell'immagine? Quali sono le differenze?*

38 **3** *Mettete in ordine le foto come nell'esempio in blu. Poi ascoltate il dialogo o guardate il video per controllare le vostre risposte. Dopo fate l'attività A1.*

 a **3**

 b

 c

 d

Carla: Buongiorno. Io prendo un macchiato e... un cornetto. Tu prendi qualcosa da mangiare?

Anna: Sì, anch'io ho un po' di fame. Vediamo... eh, un panino.

Carla: Un caffè macchiato, un cornetto alla crema e...

Anna: ...un panino con prosciutto crudo e mozzarella, un caffè e un'acqua piccola. Offro io!

Carla: Grazie!

Anna: Figurati! Quant'è?

cassiera: Sei euro e novanta.

Anna: Il caffè lungo, per favore!

Carla: Buono! Allora? Con Bruno, tutto bene?

Anna: Benissimo! E tu?

Carla: Cosa io?

Anna: Novità?

Carla: Veramente no, è un periodo abbastanza... tranquillo!

Anna: Hmmm... e... Gianni?

Carla: Gianni?! Gianni cosa?! Ok, è simpatico, ma... tutto qui! Ma perché chiedi?

Anna: Non so... secondo me, per lui non è così!

Carla: Dai... no, impossibile! ...Pronto? Oh, ciao. Bene, grazie! Domani? Finisco alle 8. Certo, perché no? Va bene, ciao, a domani! ...Gianni!

Anna: Noo!!!

A) Offro io!

BAR DEL CORSO	
LISTINO PREZZI	**€**
CAFFÈ	1,00
CAFFÈ AL GINSENG	1,30
CAFFÈ FREDDO	1,20
CAPPUCCINO	1,30
CIOCCOLATA CALDA	2,50
TÈ	1,40
BRIOCHE	1,00
BRIOCHE (CREMA, CIOCCOLATO)	1,20
PANINI	2,70
TRAMEZZINI	1,30
ACQUA (bottiglia ½ litro)	1,00
ACQUA (bottiglia 1 litro)	1,50
SUCCHI DI FRUTTA	2,00
BIBITE	1,70
TÈ FREDDO	2,00
APERITIVI	2,50

1 *Osservate il listino del bar. Poi guardate o ascoltate di nuovo e indicate la risposta giusta.*

Le due ragazze pagano:
- a. 4,50 €
- b. 5,90 €
- c. 6,90 €

2 *Adesso leggete il dialogo. Secondo voi, quali domande fa Gianni a Carla?*

- a. Dove sei?
- b. Come stai?
- c. Domani a che ora finisci di lavorare?
- d. Che cosa prendi da bere?
- e. Hai tempo per un caffè?

3 **a** *Completate le caselle celesti con due espressioni del dialogo.*

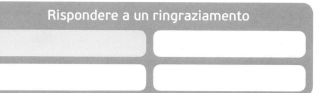

Ringraziare		Rispondere a un ringraziamento	

b *Ascoltate i mini dialoghi e completate anche le caselle bianche.*

4 *Lavorate in coppia: uno studente è A e l'altro è B. Completate oralmente i dialoghi con le espressioni dell'attività 3a. Poi scrivete le vostre risposte.*

A: Offro io oggi.

B: _____

A: _____

B: Il mio regalo per te!

A: _____

B: _____

A: Ecco il tuo libro!

B: _____

A: _____

B: Che bella la tua gonna!

A: _____

B: _____

es. 1-2
p. 171

B) Finisco alle 8

 1 Ascoltate e completate la tabella. Notate le differenze tra i due verbi.

Presente indicativo: i verbi in -ire

		offrire		finire		
dormire	io	_____		_____		pulire
aprire	tu	offri		finisci		capire
partire	lui, lei	offre	il caffè	finisce	alle 2	preferire
sentire	noi	offriamo		finiamo		spedire
ecc.	voi	offrite		finite		e molti altri!
	loro	offrono		finiscono		

2 Sostituite l'infinito con il verbo alla persona indicata dal dado (1 = io, 2 = tu, 3 = lui/lei ecc.).

Dormire ancora?

Preferire la pasta?

Capire questa frase?

Oggi pulire la casa.

Aprire i regali.

Partire domani.

es. 3-5
p. 171

 3 Cercate nel dialogo le espressioni in blu e poi in coppia fate l'abbinamento.

Cosa prendi?

Pronto?

Io prendo un tè.

Quant'è?

Sono tre euro e novanta.

Anch'io.

Ciao Mario, sono Gianni!

Un caffè, per favore!

 4 **a** Ascoltate e ripetete le parole. Notate la pronuncia della z.

zero   mozzarella   tramezzino   grazie   abbastanza

 b Ascoltate e scrivete le parole accanto alla pronuncia corrispondente.

abbastanza, grazie, mozzarella:

tramezzino, zero:

es. 6-7
p. 173

C) È lui!

1 Guardate i disegni di questa pagina, senza leggere le battute: secondo voi, che cosa ordinano Gianni e Carla? Di che cosa parlano?

2 A libri chiusi ascoltate una o due volte il dialogo. Poi rispondete alle domande.

1. Che cosa ordina Gianni? E Carla?
2. Da quanti anni sono amiche Carla e Anna?
3. Chi è l'uomo che guarda Gianni?
4. Perché Gianni esprime sorpresa alla fine?

3 Completate il dialogo con le parole date. Poi riascoltate o guardate l'animazione e controllate le vostre risposte.

occhi ◆ vicino ◆ macchina ◆ amiche
frutta ◆ storia ◆ normale

4 In coppia cercate nel dialogo le espressioni che possiamo usare al posto di quelle sotto in blu.

a. Lei è la mia più cara amica.
b. Cos'hai, sei un po' stanco?
c. A dire la verità, non credo a questa storia.

5 Quali di queste espressioni è possibile sentire in un dialogo tra un cliente e un cameriere?

Per me un...

Vorrei una...

Una..., per favore!

Cosa prendiamo?

Per Lei?

Quanti anni ha?

Grazie mille!

Hai ragione!

Di dove sei?

6 Role-play in tre.

A e B sono seduti in un bar, guardano il listino (pag. 45) e discutono su cosa prendere.

C è il cameriere che prende l'ordinazione.

A e B possono "tormentare" il cameriere cambiando più volte idea!

es. 8-11
p. 173

7 Di chi è? Leggete le frasi e completate la tabella.

"Che bella la tua gonna!"

"Il mio regalo per te!"

"Quella è la sua macchina?!"

I possessivi (I)

maschile	femminile
il _____	la mia
il _____ caffè	la tua amica
il suo	la _____

es. 12
p. 174

D) Un macchiato, per favore!

1 Per gli italiani "caffè" è sinonimo di "espresso". Spesso, però, non basta ordinare "un caffè"... Guardate le immagini e rispondete alle domande.

Caffè — Espresso

Caffè lungo — Espresso

Caffè ristretto — Espresso

Caffè corretto — Liquore / Espresso

Caffè macchiato — Schiuma di latte / Espresso

Cappuccino — Schiuma di latte / Latte caldo / Espresso

Caffelatte — Latte caldo / Espresso

Latte macchiato — Schiuma di latte / Latte caldo / Espresso

a. Quali tipi di caffé conoscete? Ci sono nel vostro Paese?

b. Secondo voi, quale caffè preferiscono gli italiani?

2 Ascoltate la prima parte di un'intervista a una barista e indicate l'affermazione giusta.

il/la barista

1. Di solito gli italiani ordinano
   a. caffè normale o caffè macchiato
   b. caffè con panna o caffè lungo
   c. latte macchiato o caffelatte

2. A colazione preferiscono
   a. caffelatte e brioche
   b. latte macchiato e spremuta d'arancia
   c. cappuccino e brioche

3 Ora ascoltate tutta l'intervista e indicate con una ✗ i prodotti che sentite.

○ tramezzino ○ tè verde ○ yogurt

4 **a** In coppia. Nel listino di un bar A vede i caffè di pag. 49, ma non sa come sono. Fa delle domande al cameriere (B), come negli esempi. B risponde e A ordina.

> Cos'è il...?   C'è il...?

○ brioche ○ caffè freddo ○ aperitivo

b In coppia. Osservate per 30 secondi i caffè di pag. 49, scegliete quello che preferite e chiudete i libri. Poi a turno, fate due domande per indovinare il caffè del vostro compagno.

○ acqua minerale ○ spremuta d'arancia ○ caffè al ginseng

E) E per Lei?

1 Guardate la vignetta a destra. Poi indicate con una ✗ le frasi che usiamo per essere gentili con persone che non conosciamo bene.

○ Ciao Mario!   ○ E Lei come si chiama?   ○ Stai bene?

○ Scusa, di dove sei?   ○ Buongiorno signora, cosa prende?

○ Scusi, posso avere un listino?   ○ Come sta, signor Moretti?

> E PER LEI, SIGNORA?

2 Mettete in ordine le battute. Poi trasformate il dialogo, usando la "forma di cortesia", come nell'esempio in blu.

tu	Lei
1 - Ciao Dino, come stai?	• _Buongiorno signor Mattei,_ _____
○ - Anch'io.	• _____
○ - Bene. Cosa prendi?	• _____
○ - Bene, grazie, e tu?	• _____
○ - Un caffè, tu?	• _____

30-50

3 Un vostro amico italiano vuole conoscere alcune abitudini del vostro Paese: qual è la bevanda "nazionale"? C'è un locale simile al bar italiano? Che cosa è possibile mangiare/bere lì?

es. 13-14
p. 175

Test

Italia&italiani

Il bar

È il principale luogo di incontro degli italiani ed è aperto quasi tutto il giorno.

Caffè Florian, Piazza San Marco, Venezia

Caffè Gambrinus, Napoli

Perché andare al bar?

❯ Per fare colazione, mangiare un panino per pranzo o bere semplicemente un caffè.

❯ Per leggere il giornale e, in alcuni bar, per guardare in compagnia lo sport in TV.

❯ Per prendere l'**aperitivo*** prima di cena e per bere qualcosa o mangiare un gelato dopo cena.

Curiosità

Che cos'è l'aperitivo?
Una bevanda alcolica o analcolica che beviamo in genere prima di pranzo o di cena, insieme a degli **stuzzichini**.

L'aperitivo più famoso al mondo è lo spritz.

Che cosa ordiniamo al bar?

Bevande calde come il caffè e il cappuccino, alcolici, bevande fredde, gelati, paste e cornetti per la colazione, panini, **tramezzini** o piatti freddi per il pranzo.

es. 1-2
p. 176

Sapete che...?

Nei bar è possibile consumare in piedi o seduti ai tavolini, anche all'aperto, ma... ricordate: al tavolo a volte costa di più!

Alcuni bar sono anche **tabaccherie** e vendono molte cose: sigarette, giornali, biglietti dell'autobus ecc.

Ringraziare

- Grazie!
- Grazie tante!
- Ti ringrazio!
- Grazie mille!

Rispondere a un ringraziamento

- Figurati!
- Prego!
- Di niente!
- Grazie a te!

Rispondere al telefono

Pronto?

Chiedere il prezzo

- Quant'è?

Dire il prezzo

- Sono sei euro e novanta.

Ordinare al bar

- Prendi qualcosa da mangiare?
- Cosa prendiamo?
- Prego? / E per Lei?

- Per me un succo di frutta.
- Vorrei una cioccolata calda!
- Un macchiato, per favore!

Esprimere possesso

Anna è la mia migliore amica.
Quella è la sua macchina?

Com'è la tua cioccolata?

Dare del Lei (forma di cortesia)

E Lei come si chiama?
Scusi, posso avere un listino?
E per Lei, signora?

Come sta, signor Moretti?
Buongiorno signora, cosa prende?

Presente indicativo dei verbi regolari di III coniugazione

	offrire	**finire**
io	offro	finisco
tu	offri	finisci
lui, lei, Lei	offre	finisce
noi	offriamo	finiamo
voi	offrite	finite
loro	offrono	finiscono

I pronomi dimostrativi

	maschile		**femminile**	
	singolare	plurale	singolare	plurale
questo	questo	questi	questa	queste
quello	quello	quelli	quella	quelle

I possessivi (I)

	singolare	
	maschile	**femminile**
(io)	il mio	la mia
(tu)	il tuo	la tua
(lui, lei, Lei)	il suo, il Suo	la sua, la Sua

I sostantivi in -ista

maschile		**femminile**	
singolare	**plurale**	**singolare**	**plurale**
il barista	i baristi	la barista	le bariste

In questa unità impariamo a:

▸ invitare
▸ accettare o rifiutare un invito
▸ parlare del tempo libero
▸ dire con che frequenza si fa qualcosa
▸ chiedere e dire l'ora
▸ contare fino a 10.000

Un invito

Pronti?

1 *Abbinate le foto ai passatempi, come nell'esempio in blu.*

1. andare al cinema/a teatro
2. ascoltare la musica
3. uscire con gli amici

4. andare a ballare
5. fare sport
6. guardare la tv

7. leggere
8. stare sui social media
9. cucinare

2 *Secondo voi, quali sono i passatempi dei giovani? E delle persone adulte?*

3 *E voi che cosa amate fare nel tempo libero?*

Mi piace fare...

Amo andare...

Preferisco leggere...

A) A che ora ci vediamo?

1 Guardate le immagini della storia. Poi leggete le frasi a-d e mettetele in ordine (1-3).
Attenzione: una frase è falsa!

a. ☐ Bruno chiama Gianni.

b. ☐ Anna parla con Bruno.

c. ☐ Gianni chiama Carla.

d. ☐ Carla telefona ad Anna.

  2 Ascoltate il dialogo o guardate il video e controllate le vostre risposte.

3 Riascoltate e leggete il dialogo. Poi indicate
con una ✗ le affermazioni vere.

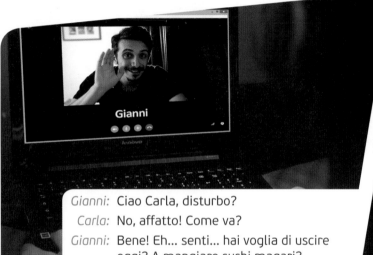

Gianni: Ciao Carla, disturbo?

Carla: No, affatto! Come va?

Gianni: Bene! Eh... senti... hai voglia di uscire oggi? A mangiare sushi magari?

Carla: Sushi? Perché no? Un attimo che chiamo Anna.

Gianni: Anna?! Ma...

Carla: Ciao Anna... Bene, bene. Senti, andiamo a mangiare sushi stasera? L'idea è di Gianni, siamo su Skype.

Anna: No, non mi piace molto il sushi. Perché non andiamo al cinema, invece? C'è "Donne moderne"!

Carla: Ah, bella idea! E Bruno?

Anna: Vediamo... Ciao amore. Senti, andiamo a vedere "Donne moderne"? Stasera, con Carla e Gianni.

Bruno: Oggi?! Ma c'è lo sport in tv! Perché non andiamo in quel nuovo locale vicino a casa tua domani?

Anna: Volentieri! Un attimo, chiedo a Carla... Bruno propone un locale qui vicino... domani, però.

Carla: Perfetto! A che ora ci vediamo? Ah... un secondo... Gianni, allora, niente sushi, ma domani sera vado a ballare con Anna e Bruno, vieni?

Gianni: Domani?! Mi dispiace, ma domani ho da fare!

Carla: Peccato... beh, magari un'altra volta, ok?

Gianni: Certo...

1. Gianni invita Carla a mangiare sushi. ◯
2. Carla rifiuta perché preferisce andare al cinema. ◯
3. Carla e Anna non mangiano il sushi. ◯
4. Bruno non ha voglia di andare al cinema. ◯
5. Bruno propone di andare a ballare. ◯
6. Alla fine vanno a ballare tutti insieme. ◯

---

4 Cercate nel dialogo questi inviti (nuvolette celesti) e scrivete a destra le relative risposte.
Poi indicate con 🙂 le risposte positive e con 🙁 quelle negative.

Invitare	Accettare / Rifiutare
...perché non andiamo in quel nuovo locale?	🙂
...hai voglia di uscire oggi? A mangiare sushi magari?	🙂
...vieni?	🙂
...perché non andiamo al cinema?	🙂
...andiamo a mangiare sushi stasera?	🙂

 5 Ora tocca a voi! Scegliete un personaggio e recitate il dialogo. Potete cambiare le risposte se volete... Chissà se Carla accetta l'invito di Gianni!

es. 1-2
p. 177

B) Andiamo a ballare?

1 Rileggete il dialogo a pag. 54 e completate la tabella. Poi cerchiate il verbo corretto nelle frasi a-d.

	andare	venire
io	_____	vengo
tu	vai	_____
lui, lei, Lei	va	viene
noi	_____	veniamo
voi	andate	venite
loro	vanno	vengono

a. Vado in ufficio. Tu dove vai/vieni?
b. Andate/Venite a casa mia domenica sera? Faccio una festa!
c. Mamma, vado/vengo da Elena per studiare, ok?
d. Vai/Vieni a Firenze con me venerdì?

es. 3-5
p. 177

2 Ascoltate le frasi e scrivete al posto giusto *scuola, Italia, mare, un'amica, piedi*.

andare / venire **(in)** ufficio _____ vacanza macchina centro

andare / venire **(a)** Firenze casa _____ teatro _____ ballare

andare / venire **(al*)** _____ cinema bar   *(al = a + il)

andare **(da)** _____ Elena

altre preposizioni
p. 241

3 Ascoltate di nuovo e scrivete i giorni che mancano.

lunedì	martedì	_____	giovedì	venerdì	sabato	_____
25	**26**	**27**	**28**	**29**	**30**	**31**
GENNAIO	GENNAIO	GENNAIO	GENNAIO	GENNAIO	GENNAIO	GENNAIO

4 〉 Giocate tutti insieme. Per 30 secondi guardate le foto sotto e le attività del tempo libero di pag. 53.

〉 Girate per la classe e invitate i vostri compagni a fare qualcosa con voi la settimana prossima. Attenzione: non più di un'attività al giorno!

〉 Vince chi per primo riceve quattro risposte positive. Se ricordate i passatempi preferiti dai compagni (attività 3 a pag. 53), avete più possibilità di vincere!

andare a un concerto

visitare un museo

fare una passeggiata

es. 6-8
p. 178

C Adesso basta!

 1 Chiudete il libro e ascoltate il dialogo: secondo voi, chi sono le persone che litigano?

 2 Riascoltate e indicate l'affermazione corretta. Poi leggete il dialogo o guardate l'animazione.

1. I signori Ferrara litigano perché
   a. lei è preoccupata
   b. lui spende troppi soldi
   c. lui non ha voglia di parlare

2. Secondo Anna, il sig. Ferrara è un "criminale" perché
   a. litiga spesso con la moglie
   b. parla di prigione e di soldi
   c. la moglie ha sempre paura

3 Completate le frasi con tre delle espressioni date.

1. adesso basta
2. non ho voglia di
3. nemmeno io
4. lo so
5. ho intenzione di

a. • Ma perché non vieni con noi sabato?
   • Scusa, ma ⬜ uscire in questo periodo.

b. • Mamma, guardo la tv, ok?
   • Beppe, ⬜! Sono le 9!

c. • Sai che Stefano va a correre ogni giorno?
   • Sì, ⬜.

4 Scrivete una frase con una delle espressioni dell'attività C3.

5 Quante volte? Completate con due parole che trovate nella prima parte del dialogo.

_____   spesso   qualche volta   raramente   _____

6 ❭ Giocate a gruppi di 4. A fa un'ipotesi su B (cosa fa nel tempo libero e quanto spesso), come nell'esempio. B conferma o meno, poi fa un'ipotesi su C e così via.

Secondo me, Stefano va spesso / non va mai al cinema.

❭ Se indovinate o ricordate i passatempi dei compagni, vincete 1 punto; se indovinate anche la frequenza, 2! Vince chi arriva a 5 punti!

es. 9-10
p. 179

 7 Cercate nella seconda parte del dialogo i verbi per completare la tabella.

	fare	**sapere**
io	_____	_____
tu	fai	sai
lui, lei, Lei	_____ sport	sa tutto
noi	facciamo	sappiamo
voi	fate	sapete
loro	fanno	sanno

es. 11-12
p. 179

D) Che ore sono?

 1 a Ascoltate i mini dialoghi e sottolineate le cinque frasi che sentite.

1. Sono le otto meno dieci.   2. Sono le dieci e mezza.   3. È mezzanotte.   4. È mezzogiorno.
5. Sono le tre e venti.   6. Sono le due e un quarto.   7. Sono le sei meno venti.   8. È l'una.

b Adesso abbinate le otto frasi agli orologi, come nell'esempio in blu.

 2 Giocate in coppia. A turno, rispondete alla domanda "Che ore sono?", ma ogni volta aggiungete 15 minuti, come nell'esempio. Il primo che sbaglia l'ora perde!

Sono le due.

E adesso sono le due e un quarto.

E adesso...

es. 13-14
p. 180

3 Il signor Ferrara parla di 10.000 euro... Sottolineate i numeri che sentite. Poi leggete tutti i numeri.

101   **duecentotrentanove**   **253**   trecento   328   **cinquecentotrentuno**

602   seicentosettanta   **744**   **ottocentosedici**   **875**

novecentosettantanove   **mille**   **2.020**   **diecimilacentocinquantasette**

es. 15
p. 181

4 *Che tipo sei?* Possiamo capire molto di una persona da come passa il tempo libero.
Fate questo veloce test e... scoprite che tipi siete!

1. Quante ore al giorno guardi la tv?
   a. 1-2
   b. 2-3
   c. Più di 4

2. Cosa preferisci fare?
   a. Stare su Facebook
   b. Stare con gli amici
   c. Fare una passeggiata

3. Vai al cinema e a teatro?
   a. No, quasi mai
   b. 1-2 volte all'anno
   c. Almeno una volta al mese

4. Esci spesso con gli amici?
   a. Ogni volta che è possibile
   b. Mah, non così spesso
   c. Quali amici?!

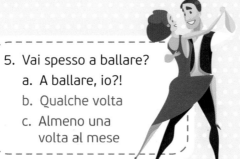

5. Vai spesso a ballare?
   a. A ballare, io?!
   b. Qualche volta
   c. Almeno una volta al mese

6. Fai sport?
   a. Sì, spesso
   b. Qualche volta
   c. No, quasi mai... anzi mai!

7. Quanto tempo passi sui social media?
   a. Un'ora al giorno
   b. 2-3 ore al giorno
   c. Non amo i social media

8. Quanti libri leggi all'anno?
   a. 2-3
   b. Più di 5
   c. Prossima domanda?

Calcolate 0 punti per le risposte in nero, 1 punto per quelle in blu e 2 per quelle in rosso. Leggete i risultati del test: siete d'accordo?

0-4 punti: Forse preferisci rimanere a casa da solo e probabilmente non fai tante cose nel tuo tempo libero. Un consiglio? Esci di casa e passa più tempo con gli altri.

5-10 punti: Forse non hai tantissimi amici, ma i tuoi interessi sono molto vari. Un consiglio? La prossima volta che vai al museo, chiama un amico.

11-16 punti: Sei una persona socievole, con molti interessi. Dedichi più tempo alle persone e meno alla tecnologia. Un consiglio? Continua così!

5 *Un nuovo amico su Facebook ti manda questo messaggio: rispondi.*

30-50

Io faccio sport tre volte alla settimana. E tu, come passi il tempo libero?

es. 16
p. 181

Italia&italiani

Gli italiani
e il tempo libero

Nel tempo libero gli italiani amano mangiare bene e fare attività fisica. Infatti, quando è possibile, vanno a cena fuori, al ristorante o in pizzeria, e in palestra.

Nei fine settimana agli italiani piace anche visitare musei e altre città, anche per provare e comprare i prodotti locali.

Sassi di Matera

Galleria degli Uffizi, Firenze

Piazza dei Signori, Padova

> **La piazza**
>
> Nelle grandi città, nei piccoli paesi, di giorno e di sera, la piazza è il luogo d'incontro degli italiani: passeggiano, chiacchierano, bevono qualcosa in compagnia. Inoltre, in piazza ci sono spesso concerti, festival, cinema all'aperto, il mercato...

es. 1-2
p. 182

I passatempi

Gli italiani hanno molti passatempi... Vediamo quali sono!

Guardare lo sport in tv   Fare spese   Leggere libri

Leggere giornali sportivi/riviste   Giocare ai videogiochi   Giocare a calcetto

Fare corsi di ballo/Andare a ballare   Vedere film e serie tv

Fare corsi di cucina/Cucinare   Fare attività artistiche

Quali di questi sono diffusi anche nel vostro Paese?

Secondo voi, ci sono passatempi più maschili o più femminili?

E a voi che cosa piace fare?

Curiosità

Qual è il passatempo più italiano?
Fare l'aperitivo con gli amici!

COMUNICAZIONE

Parlare del tempo libero

Mi piace fare/andare/uscire… Amo andare/cucinare/leggere…	Preferisco guardare/fare/ascoltare…

Invitare

- Perché non andiamo in quel nuovo locale?
- Hai voglia di uscire?
- Perché non andiamo al cinema?
- Vado a ballare con Anna e Bruno, vieni?
- Andiamo a mangiare sushi?

Accettare/Rifiutare un invito

- Volentieri!/Perfetto!
- Perché no?
- Bella idea!
- Mi dispiace, ma ho da fare.
- No, non mi piace molto il sushi.

Chiedere l'ora

- Che ore sono?
- Che ora è?

Dire l'ora

- Sono le sei meno dieci/venti.
- Sono le otto meno un quarto.
- Sono le tre e venti.
- Sono le due e un quarto.
- Sono le dieci e mezza.
- È mezzanotte/mezzogiorno/l'una.

GRAMMATICA

Presente indicativo di alcuni verbi irregolari

	andare	venire	fare	sapere
io	vado	vengo	faccio	so
tu	vai	vieni	fai	sai
lui, lei, Lei	va	viene	fa	sa
noi	andiamo	veniamo	facciamo	sappiamo
voi	andate	venite	fate	sapete
loro	vanno	vengono	fanno	sanno

Le preposizioni **in**, **da**, **a**, **al** (*a + il*)

andare/ venire	in Italia / in ufficio / in vacanza / in macchina / in centro a Firenze / a casa / a scuola / a teatro / a piedi / a ballare al mare / al cinema / al bar
andare	da un'amica / da Elena

I giorni della settimana

lunedì
martedì
mercoledì
giovedì
venerdì
sabato
domenica

Avverbi ed espressioni di frequenza

Tu hai sempre paura!

Litiga spesso con la moglie.

Qualche volta vado a ballare.

Raramente vado a teatro.

Non hai mai voglia di discutere!

I numeri da **101** a **10.000**

101	centouno	600	seicento	2.000	duemila	6.500	seimilacinquecento
200	duecento	700	settecento	3.000	tremila	7.000	settemila
300	trecento	800	ottocento	4.000	quattromila	8.000	ottomila
400	quattrocento	900	novecento	5.000	cinquemila	9.000	novemila
500	cinquecento	1.000	mille	6.000	seimila	10.000	diecimila

In questa unità impariamo a:

▷ esprimere incertezza e dubbio
▷ parlare di professioni
▷ chiedere e dire l'orario
▷ chiedere ed esprimere una data (I)
▷ chiedere e dire che giorno è
▷ chiedere e dire la data di nascita

Il colloquio

Unità 6

Pronti?

 1 *Lavorate in coppia. Osservate i disegni di questa pagina: qual è, secondo voi, la professione più interessante? E quella più difficile? Poi confrontatevi con le altre coppie.*

 2 *Ascoltate il dialogo o guardate il video: indicate con una ✗ le professioni che sentite.*

● Segretaria

● Avvocato

● Istruttore di palestra

● Cuoca

● Operaio

● Commessa

 3 *Di che cosa parlano Gianni e Bruno? Come finisce il dialogo? Poi fate l'attività A1.*

Bruno: Allora, è vero che cerchi lavoro?
Gianni: ☐
Bruno: Infatti. E allora?
Gianni: Vediamo… cameriere… no. Cuoco… certo! Impiegato… esperienza necessaria.
Bruno: Ok, altro?

Gianni: Hmm… grafico… sì, buonanotte! Ah, istruttore di palestra! Cosa, laureato?! Per questo c'è tanta disoccupazione!
Bruno: Dai, troviamo qualcosa sicuramente. Commesso? No, bisogna avere bella presenza… Ecco: operaio!

Gianni: Operaio?! ☐
Bruno: Va be', la solita storia… Ehi, ho un'idea!
Gianni: Cioè?

Bruno: ☐
Gianni: Ma allora è troppo tardi… hanno già un direttore!
Bruno: Dai, so che cercano qualcuno… un segretario, credo! Chissà se siamo ancora in tempo!
Gianni: Segretario?!

Bruno: Sì, signor principe, perché? Cerco di fissare un colloquio?
Gianni: Mah, non so…
Bruno: Va bene, io chiamo!

A) Non fa per me!

1 *Ascoltate o guardate di nuovo e fate l'abbinamento.*

1. Per il posto di impiegato è necessario avere
2. Per lavorare come istruttore di palestra bisogna avere la
3. Per fare il commesso bisogna avere
4. Un professore di Bruno conosce il direttore del
5. Bruno fa una telefonata per fissare un

- laurea
- colloquio di lavoro
- Museo Romano
- esperienza
- bella presenza

2 *Adesso leggete e completate il dialogo con le battute a, b e c.*

a. Cioè andare al lavoro alle 7 del mattino? Non fa per me!

b. Eh sì, a 24 anni non mi piace chiedere soldi ai miei genitori.

c. Un mio professore dell'università conosce il direttore del Museo Romano.

3 *Completate la tabella con due delle parole/espressioni evidenziate in blu nel dialogo.*

Esprimere incertezza e dubbio

probabilmente   penso di sì   forse   credo di no

magari   _____   _____

B **4** *In coppia parlate di alcune professioni: A rimane su questa pagina, B va a pag. 148.*

❯ *Sei A: esprimi la tua opinione sulle seguenti professioni e B esprime la sua. Puoi usare queste parole:*

facile/difficile ◆ interessante/noioso ◆ creativo
faticoso ◆ stipendio alto/basso

Secondo me, il lavoro del/dell'... è interessante!

Medico

Avvocato

Ingegnere

❯ *Dopo commenti le professioni che propone B usando anche le espressioni dell'attività A3, come nell'esempio.*

❯ *Tra le sei professioni date, quale piace di più a tutti e due?*

Mah, non so... è molto difficile.

es. 1-4
p. 183

B) Alle 7...

1 Ascoltate e completate le frasi.

> a. Eh sì, a 24 anni non mi piace chiedere soldi _____ miei genitori.

> b. Cioè andare al lavoro _____ 7 del mattino?

> c. Un mio professore _____ università conosce il direttore _____ Museo Romano.

2 Adesso completate la tabella.

Le preposizioni articolate (I)

___ + ___ = al	___ + ___ = del
a + la = alla	di + la = della
a + lo = allo	di + lo = dello
___ + ___ = ai	di + i = dei
___ + ___ = alle	di + le = delle
a + gli = agli	di + gli = degli
a + l' = all'	___ + ___ = dell'

es. 5
p. 184

3 **a** Osservate le immagini e in coppia fate dei mini dialoghi, secondo l'esempio.

> A che ora **apre/chiude** il museo?
> A che ora **parte** il treno per...?

> Alle...

b Oralmente fate delle frasi con le espressioni *alla settimana, al mese, all'anno,* come nell'esempio.

> Ho lezione due volte alla settimana.

c In coppia fate dei mini dialoghi con le parole *bar, cinema, mare, museo, stadio, parco, università,* secondo l'esempio.

> Che fai oggi?

> Vado al cinema.

4 Completate le risposte con la preposizione articolata.

a. • Di chi è questo pacco?
   • È _____ vicina.

b. • Di che cosa parlano i ragazzi?
   • Parlano _____ amica di Laura.

c. • Chi è questo signore?
   • È il direttore _____ Museo Novecento.

es. 6-7
p. 184

C) C'è un problema!

1 Senza guardare il testo ascoltate le prime battute del dialogo e immaginate come continua.
Quali di queste ipotesi sembrano più probabili?

a. Gianni è in ritardo.

b. Gianni non ha un appuntamento.

c. Il direttore non c'è.

d. Gianni sbaglia il giorno del colloquio.

e. La segretaria fissa un altro appuntamento.

f. Gianni fa il colloquio con la segretaria.

2 Ora ascoltate e leggete tutto il dialogo o guardate l'animazione per verificare le vostre ipotesi.
Poi, a pag. 68, rispondete oralmente o per iscritto (8-10 parole) alle domande.

a. Perché non è possibile fare il colloquio?
b. Dov'è il direttore?
c. Cosa chiede Gianni alla segretaria?
d. Come finisce il dialogo tra Gianni e la segretaria?

Il dottor Ferrara non è un medico! *Vedi pag. 71.*

🏛
Museo Romano

Dott. Massimo Ferrara
Direttore

Via dei Guelfi, 23 - Roma

3 Completate le frasi con le parole e le espressioni evidenziate in blu nel dialogo.

a
• Vieni con noi al mare domani?
• _____, ho da fare!

b
• Scusi, va bene se aspetto qui il dottore?
• Certo, _____!

c
• Sono molto stanco oggi!
• Ah sì, _____?

d
• Arrivederci, signor Parini!
• _____, signora!

4 Secondo voi, nella frase a destra ci sostituisce *Egitto* o *il dottor Ferrara*?

Ma come mai è in Egitto il dott. Ferrara? Ci va spesso?

es. 8-9
p. 185

5 Giocate a coppie: vince la prima coppia che trova nei paroloni i verbi per completare la tabella, come negli esempi in blu.

...Ferrara dice a tutti...

...cerco un altro giorno...

	cercare	dire
io	*cerco*	*dico*
tu		
lui, lei, Lei		
noi		
voi		
loro		

cercanodiconodicicerchiamo
cerchidicedicodiciamo
cercatecercoditecerca

es. 10
p. 186

D) Quando?

1 Guardate il calendario di Gianni e, a turno, fate delle domande a un compagno secondo l'esempio.

Quando è Pasqua?

Il 7 aprile.

Piazza San Marco, Venezia
GENNAIO
1 martedì 17 giovedì
2 mercoledì 18 venerdì
3 giovedì 19 sabato
4 venerdì 20 domenica
5 sabato 21 lunedì
6 domenica 22 martedì COLLOQUIO MUSEO
7 lunedì 23 mercoledì
8 martedì 24 giovedì
9 mercoledì 25 venerdì
10 26 sabato

Canal Grande, Venezia
FEBBRAIO
1 venerdì
2 sabato
3 domenica
4 lunedì
5 martedì
6 mercoledì
7 giovedì
8 venerdì
9 sabato
10 domenica
11 lunedì

Ponte Vecchio, Firenze
MARZO
1 venerdì 17 domenica
2 sabato 18 lunedì
3 domenica MATRIMONIO STEFANIA 19 martedì
4 lunedì 20 mercoledì
5 martedì 21 giovedì
6 mercoledì 22 venerdì
7 giovedì 23 sabato
8 venerdì 24

2 Osservate per un minuto i mesi, poi formate delle coppie: A va a pag. 145 e B a pag. 148.

gennaio	luglio
febbraio	agosto
marzo	settembre
aprile	ottobre
maggio	novembre
giugno	dicembre

Piazza di Spagna, Roma
APRILE
1 lunedì
2 martedì
3 mercoledì
4 giovedì
5 venerdì
6 sabato
7 domenica PASQUA 22
8 lunedì 23
9 martedì 24
10 mercoledì 25
11 giovedì 26
12 venerdì 27
13 sabato 28
14 domenica 29
15 lunedì 30

Santa Maria del Fiore, Firenze
MAGGIO
1 mercoledì 17
2 giovedì 18
3 venerdì 19
4 sabato 20
5 domenica 21
6 lunedì COMPLEANNO BRUNO 22
7 martedì 23
8 mercoledì 24
9 giovedì 25
10 venerdì 26
11 sabato 27
12 domenica 28 martedì
13 lunedì 29 mercoledì
14 martedì 30 giovedì
15 mercoledì 31 venerdì

Palazzo Pubblico, Siena
GIUGNO
1 sabato 16 domenica
2 domenica FESTA DELLA REPUBBLICA 17 lunedì
3 lunedì 18 martedì
4 martedì 19 mercoledì
5 mercoledì 20 giovedì
6 giovedì 21 venerdì
  22 sabato
  23 domenica
  24 lunedì
  25 martedì
  26 mercoledì
  27 giovedì
13 giovedì 28 venerdì
  29 sabato
15 sabato 30 domenica

• Che giorno è oggi?
◦ Il 1° (primo) maggio.
◦ L'8 luglio.
◦ L'11 ottobre.

EDILINGUA

sessantanove **69**

3 Leggete i suggerimenti e scrivete i mesi di ogni stagione, come nell'esempio in blu.

Dicembre è il primo (1°) mese dell'inverno.

Luglio è il secondo (2°) mese dell'estate.

Maggio è il terzo (3°) mese della primavera.

primavera | estate | autunno | inverno

dicembre

4 Girate per la classe e chiedete la data di nascita ai vostri compagni, secondo l'esempio.

• _Quando sei nato/nata?_ • _Sono nato/nata il 20 febbraio (del) 1999._

I numeri a pag. 62

Vince chi trova per primo due dei seguenti casi:

qualcuno nato in estate | qualcuno nato in inverno | qualcuno nato prima del 2000
due studenti nati nello stesso mese | una persona nata la prima settimana di un mese

es. 11-12
p. 186

5 I numeri ordinali. Le parole sono in ordine, ma i numeri no. In coppia, fate l'abbinamento e poi ascoltate.

9°	13°	4°	5°	6°	8°	20°

primo / secondo / terzo / quarto / quinto / sesto / settimo / ottavo
nono / decimo / undicesimo / dodicesimo / tredicesimo / ventesimo

3°	11°	7°	1°	12°	10°	2°

es. 13
p. 187

6 Ascoltate e scrivete le parole sotto la pronuncia corrispondente.

giugno | luglio | inglese

7 Descrivete il vostro lavoro: orario (dalle... alle...), cose positive e negative, direttore, colleghi ecc. Se non lavorate, usate la fantasia!

50-60

es. 14-16
p. 187

Test

Italia&italiani

Italiani al lavoro

Oggi gli italiani cominciano a lavorare abbastanza tardi, a 27-28 anni, di solito quando finiscono l'università. Avere una laurea, infatti, è importante per trovare un lavoro.

Molti italiani preferiscono fare un lavoro d'ufficio, anche se gli stipendi non sono tanto alti. Quindi, sono pochi i giovani che fanno lavori manuali come questi:

la sarta

il falegname

l'idraulico

il panettiere

il meccanico

es. 1-2
p. 188

L'orario di lavoro

Normalmente gli italiani lavorano 8 ore al giorno, dal lunedì al venerdì. Non è così per tutti, però: ad esempio, commessi, baristi, poliziotti, medici, camerieri lavorano anche il sabato e/o la domenica.

L'orario di lavoro dipende dall'azienda, dal tipo di lavoro, dalla regione... In genere però la pausa pranzo è di circa un'ora, di solito dalle 13 alle 14. Molti vanno al bar più vicino, chi ha tempo torna a casa.

Studenti e lavoro

Molti ragazzi che vanno all'università, anche se ricevono soldi dai genitori, per guadagnare qualcosa fanno un lavoro part-time.

Ecco i più diffusi: cameriere, barista, commessa, porta-pizze, babysitter, promoter...

Sapete che...?

In Italia tutte le persone con una laurea si chiamano "dottori" e "dottoresse".

Curiosità

Il lavoro più strano in Italia?
Scrivere i messaggi dei Baci Perugina!

Sei tu il mio regalo più grande.

COMUNICAZIONE

Esprimere incertezza e dubbio

Chissà se siamo ancora in tempo!
- Chiamo per un colloquio? • Mah, non so...
- Viene anche Maria? • Forse. / Penso di sì. / Credo di no.
Probabilmente/Magari per il posto di impiegato è necessario avere esperienza.

Chiedere l'orario

- A che ora apre il museo?
- A che ora parte il treno per Milano?

Dire l'orario

- Alle 9.
- Alle 9 e trenta.

Chiedere ed esprimere una data

- Quando è Pasqua?
- Il 10 aprile.

Chiedere e dire la data di nascita

- Quando sei nato/nata?
- Sono nato/nata il 20 febbraio (del) 1995.

Chiedere che giorno è

- Che giorno è oggi?

Dire che giorno è

- (È) Il 3 febbraio. / Il 1° (primo) maggio.
L'8 luglio. / L'11 ottobre.

GRAMMATICA

Le preposizioni articolate (I)

+	il	lo	l'	la	i	gli	le
a	al	allo	all'	alla	ai	agli	alle
di	del	dello	dell'	della	dei	degli	delle

Il museo apre alle 9. / Ho lezione due volte alla settimana. / Vado al cinema.
Questo pacco è della vicina. / È il direttore del Museo Romano. / Parlano dell'amica di Laura.

Presente indicativo

	dire	Verbi in -care cercare
io	dico	cerco
tu	dici	cerchi
lui, lei, Lei	dice	cerca
noi	diciamo	cerchiamo
voi	dite	cercate
loro	dicono	cercano

ci di luogo

- Il direttore è ancora in Egitto.
  - Ci va spesso?

I mesi dell'anno

gennaio	maggio	settembre
febbraio	giugno	ottobre
marzo	luglio	novembre
aprile	agosto	dicembre

Le stagioni

la primavera
l'estate*
l'autunno
l'inverno

*estate
è femminile

I numeri ordinali

1°	primo	6°	sesto	11°	undicesimo	16°	sedicesimo
2°	secondo	7°	settimo	12°	dodicesimo	17°	diciassettesimo
3°	terzo	8°	ottavo	13°	tredicesimo	18°	diciottesimo
4°	quarto	9°	nono	14°	quattordicesimo	19°	diciannovesimo
5°	quinto	10°	decimo	15°	quindicesimo	20°	ventesimo

1 a *Intervista a un cantante. Completate il testo: negli spazi blu inserite i verbi alla forma giusta; negli spazi rossi inserite tre delle seguenti espressioni: mi piace, forse, chissà, ho intenzione di, veramente, mi dispiace.*

Parliamo dei tuoi album. Uno si chiama **Le cose che non ho**... Che cosa non hai?

_____(1) non ho mai tempo per me!
Lo so che _____ (2. fare) un lavoro che è la mia passione, ma c'è altro!

Per esempio? Cosa fai quando hai un po' di tempo libero?

Beh, naturalmente, ascolto musica e vado ai concerti! E poi _____(3) anche guardare film.

Preferisci la TV o il cinema?

Mah... _____ (4. stare) raramente a casa a guardare la tv... Al cinema ci vado spesso, invece!

E la tua giornata tipo?

La mattina _____ (5. uscire) sempre presto, prima delle 9, e _____ (6. andare) al bar. Mentre _____ (7. bere) il caffè, _____ (8. leggere) il giornale e i Tweet dei miei fan. Nel pomeriggio faccio sport e qualche volta _____ (9. scrivere)...

Scrivi? Che cosa? Nuove canzoni?

...il mio libro! Ma se continuo così, _____(10) quando _____ (11. finire)!

b *Evidenziate nel testo avverbi ed espressioni di frequenza (sono cinque). A turno, raccontate ai compagni due abitudini vere e una falsa, ad esempio "Io non mangio mai la pizza". Conoscete bene i vostri compagni? Qual è l'abitudine falsa?*

2 *Completate il dialogo con le parole date, come nell'esempio in blu.*

annunci   a che ora   faticoso   esperienza   purtroppo   laureati   aperitivo   soldi   stipendio

Marta: Martedì non lavoro. Hai voglia di venire al museo con me?

Alvise: Martedì? Mmh... *a che ora* (1) chiude il museo?

Marta: Alle 17:30.

Alvise: Eh... _____(2) finisco alle 18. Perché non andiamo a mangiare fuori più tardi?

Marta: Perché no! Ti va di andare al ristorante dove mia sorella lavora come cuoca?

Alvise: Tua sorella è cuoca?! Che lavoro _____(3)!

Marta: Sì, ma almeno lei non chiede _____(4) ai miei genitori! Io, invece... ho un lavoro noioso e il mio _____(5) è anche basso!

Alvise: Allora perché non cerchi un altro lavoro?

Marta: Mah, non so... secondo me, prendono solo _____(6)!

Alvise: No, che dici! Tu hai _____(7) e parli molte lingue straniere! Perché non cerchi un po' nei siti di _____(8)? Poi martedì parliamo dei lavori più interessanti!

Marta: Buona idea! Facciamo alle 20 al Bar Centrale? Prendiamo un _____(9) e poi andiamo a mangiare, che dici?

Alvise: Sì, perfetto!

Colosseo con vista!

*Giocate in 2 o in 2 piccoli gruppi.
A turno, tirate il dado e svolgete il compito
proposto. Se la risposta non è giusta,
tornate indietro di due caselle.
Dopo, il turno passa all'altro giocatore/gruppo.
Se arrivate su una casella dove c'è l'altro
giocatore/gruppo, andate a quella successiva.
Vince chi arriva per primo in cima al Colosseo!*

*Attenzione!
Il Colosseo è un monumento antico
e nasconde qualche sorpresa...
leggete la **Legenda**!
In bocca al lupo!*

Sei al bar. Ordina da bere e da mangiare per te e per un compagno. **27**

Sei il cameriere; entra una signora che non conosci. Cosa dici? **18**

Al bar paghi tu e il tuo amico ti ringrazia. Cosa rispondi? **17**

"Sono le undici meno venti." Fai la domanda. **15**

"Ci vado una volta all'anno." Fai una domanda. **16**

14

Cosa ti piace fare nel tempo libero? (tre risposte) **4**

"Sì, vorrei un cornetto." Fai la domanda. **3**

La stagione e i mesi più caldi dell'anno in Italia. **2**

Le prime tre persone del verbo andare. **1**

PARTENZA

3 Osservate le foto e sottolineate le parole in blu corrette.

1. I signori mangiano/bevono il caffè al banco/tavolino.
2. Peppe sembra preoccupato/contento.
3. Nicoletta balla con/a Peppe.
4. Giorgio e Luisa leggono/scrivono un libro.
5. Ugo telefona alla/per la mamma.
6. Bruno e Roberto vengono/fanno una gita in macchina.
7. Rosalia e Fefè sono a/al mare.
8. Nando mangia/cucina gli spaghetti.
9. Guido è al/in bar e legge il giornale.

Attori e attrici nelle foto
1: Peppino De Filippo e Totò
2: Vittorio Gassman
3: Carla Gravina e Vittorio Gassman
4: Nino Manfredi e Virna Lisi
5: Nino Manfredi
6: Vittorio Gassman e
Jean-Louis Trintignant
7: Daniela Rocca e
Marcello Mastroianni
8: Alberto Sordi
9: Marcello Mastroianni

Al lavoro!   Test: *Quanto sei italiano?*

Lavorate a gruppi di tre.

1. *Rileggete le sezioni del libro che parlano delle caratteristiche e delle abitudini degli italiani (ad esempio, pagine 37, 49, 51, 61 e 71).*
2. *Create un test simile a quello di pag. 60 dal titolo "Quanto sei italiano?". Preparate almeno 5 domande e per ognuna 3 risposte, ad esempio:*
   Dove bevi il primo caffè della giornata? a. A letto, b. Al lavoro; c. Al bar.
3. *Date un punteggio a ogni risposta e pensate a tre profili. Ad esempio:*
   Da 13 a 15 punti: "100% italiano!"; Da 9 a 12 punti: "Quasi italiano"; Da 5 a 8 punti: "Zero italiano".
4. *Provate il test con i vostri compagni davanti alla classe. Poi votate le 5 domande più divertenti e create un test per i vostri amici.*

In questa unità impariamo a:

- parlare di feste
- organizzare una gita
- parlare del prezzo
- fare gli auguri
- chiedere e dire che tempo fa

Pronti?

1 Discutete tutti insieme: cosa preferite fare durante le feste o quando siete in vacanza?

stare a casa con la famiglia

dormire di più

fare spese o regali

fare una gita

2 Preferite il mare o la montagna? Perché?

3 Ascoltate il dialogo o guardate il video e rispondete alle domande. Poi fate l'attività A1.

a. Dove pensano di andare i quattro amici?

b. Ad un certo punto succede qualcosa di strano. Che cosa?

EDILINGUA

impiegata: Buongiorno, prego!

Carla: Buongiorno! Avete dei pacchetti per la settimana bianca in montagna?

impiegata: Certo! All'estero... sulle Alpi?

Anna: Hmm... qualcosa di più vicino?

impiegata: Hmm, sul Gran Sasso, per esempio?

Carla: Ecco, sì, una mia amica, Stefania, ci va a sciare ogni anno.

impiegata: Bellissimo posto! A Natale, a Capodanno?

Anna: Dal 3 al 6 gennaio... una camera matrimoniale e due singole.

impiegata: Quindi, tre notti... vediamo... abbiamo un pacchetto che forse fa per voi: 400 euro a persona.

Carla: 400, eh? Hmm... qualcosa di più economico?

impiegata: Purtroppo no... scusate un attimo. Pronto? *Agenzia Mondo Viaggi.* Buongiorno dott. Ferrara! Sì, certo: 6 notti, biglietti...

impiegata: In tutto 8.500 euro. Paga in contanti come sempre? Certo... domani? ...Dalle 9 del mattino alle 8 di sera. Nel pomeriggio c'è Irene, la nuova collega. Arrivederla! ...Scusate, allora?

Anna: È un po' caro, forse bisogna scegliere un altro periodo. Grazie mille!

impiegata: A voi! Magari date un'occhiata anche sul sito. Buone feste!

Anna: Grazie, anche a Lei! ...Incredibile, ancora lui, sono sicura!

Carla: Ma non è possibile! E poi 8.500 euro? Chissà dove vanno!

A) A Natale...?

1 Ascoltate o guardate di nuovo e indicate l'affermazione giusta.

1. Ad Anna e Carla interessa
   a. una gita in montagna
   b. un viaggio all'estero
   c. una gita sulle Alpi

2. L'uomo che telefona
   a. cerca una gita in montagna
   b. chiede il costo del suo viaggio
   c. trova i prezzi troppo alti

3. Il pacchetto dell'agenzia
   a. dura molti giorni
   b. è molto economico
   c. costa molto

4. Probabilmente l'uomo è
   a. un nuovo cliente dell'agenzia
   b. un vecchio amico di Anna
   c. il vicino di casa di Anna

2 Adesso leggete (da soli o con un compagno) il dialogo e controllate le vostre risposte.

3 **a** La metà di voi lavora sulle battute di Anna e Carla e l'altra metà sulle battute dell'impiegata: trovate le espressioni che corrispondono a quelle sotto, come nell'esempio in blu.

1. va sul Gran Sasso
   _____ci va_____

2. è necessario
   _____

3. costa molto
   _____

4. va bene per voi
   _____

5. il costo totale è
   _____

6. per uno
   _____

b Completate i mini dialoghi con quattro delle espressioni trovate.

1. • Quanto costano
     i biglietti?
   • Sono 14 euro
     _____.

2. • Bello Luca, vero?
   • Sì, ma non
     _____
     te: ha la ragazza!

3. • Sai quale autobus
     _____
     prendere per
     andare in centro?
   • Non sono sicura,
     ma credo il 68.

4. • Alla fine, quanto
     spendi per il
     viaggio?
   • _____
     300 euro.

es. 1-3
p. 189

4 Completate le frasi con le preposizioni date.
Poi ascoltate e controllate le vostre risposte.

1. _____ settimana bianca?
2. _____ estero... sulle Alpi?
3. _____ 3 al 6 gennaio.
4. _____ 9 del mattino alle 8 di sera.
5. _____ pomeriggio c'è Irene, la nuova collega.
6. Magari date un'occhiata anche _____ sito.

all'
nel
sul
per la
dal
dalle

5 Ora completate la tabella.

Le preposizioni articolate (II)

+	il	lo	l'	la	i	gli	le
a	al	_____	all'	alla	ai	_____	alle
da	_____	dallo	dall'	_____	dai	dagli	dalle
di	del	_____	dell'	della	_____	degli	delle
in	nel	nello	_____	nella	nei	negli	_____
su	_____	sullo	sull'	sulla	_____	sugli	sulle
con	con il	con lo	con l'	con la	con i	con gli	con le
fra/tra	fra il	fra lo	fra l'	fra la	fra i	fra gli	fra le
per	per il	per lo	per l'	per la	per i	per gli	per le

6 In coppia, mettete in ordine le parole e formate le frasi. Cominciate con le parole in blu.
Poi abbinate le frasi alle foto.

a

1. sito | agenzia | dell' | offerte | sul | trovate | altre

_____

2. 17 | il | è | 9 | alle | dalle | museo | aperto

_____

3. è | il | tuo | tavolo | sul | libro

_____

4. amico | per | mio | parte | Cina | la | un

_____

5. sto | perché | tanto | dal | bene | vado | medico | non

_____

es. 4-5
p. 190

**Chiudete i libri e ascoltate il dialogo fino alla battuta di Gianni "Aspettate...".
Secondo voi, cosa pensa di fare Gianni?
Poi fate l'attività B1.**

Torniamo alla storia

MA COME FA A SPENDERE TANTI SOLDI?

LA COSA PIÙ STRANA È CHE PAGA SEMPRE IN CONTANTI!

PERCHÉ È COSÌ STRANO?

SI VEDE CHE NON GUARDI FILM POLIZIESCHI! PAGA IN CONTANTI PER "LAVARE" SOLDI SPORCHI.

CIOÈ? NON CAPISCO!

CIOÈ HA SOLDI, DICIAMO "NON LEGALI". PERCIÒ NON COMPRA I BIGLIETTI ON LINE!

VEDETE? È UN CRIMINALE!

SCUSA, ANNA, FERRARA STASERA VA ALL'AGENZIA, NO? E C'È UN'IMPIEGATA CHE LUI NON CONOSCE...

COS'HAI IN MENTE, GIANNI? NON MI PIACE IL TUO SGUARDO.

ASPETTATE...

PRONTO, AGENZIA MONDO VIAGGI.

SONO IL SIG. FERRARA. SONO PRONTI I BIGLIETTI PER...?

FERRARA?! SCUSI, IL SUO NOME, PER FAVORE?

FERRARA. SONO 8.500 EURO, GIUSTO?

8.500? PERÒ...

MA COME SI CHIAMA L'ALBERGO?

EHM... UN SECONDO, PER FAVORE. FORSE È MEGLIO SE RISPONDE LEI!

IO?! PRONTO!

EHM... BUONASERA, SONO IL SIG. FERRARA...

B) Il Suo nome, per favore?

1 Ascoltate e leggete il dialogo di pag. 81 o guardate l'animazione: secondo voi, a chi passa il telefono l'impiegata alla fine?

2 Come finisce il dialogo, secondo voi? Andate a pag. 84 e scegliete una delle immagini in basso. Scambiatevi delle idee.

3 Ascoltate tutto il dialogo e prendete appunti (8-10 parole). Poi chiudete il libro e lavorate in coppia: A comincia a fare il riassunto del dialogo e quando arriva a metà, passa la parola a B. Ognuno di voi deve parlare per almeno 20 secondi!

4 Completate le frasi con le espressioni evidenziate in blu nel dialogo.

- Per il cenone di Capodanno penso di preparare qualcosa di diverso!
- Cioè, _____(1)?

- A Natale i Rossi vanno in Svizzera per due settimane!
- _____(2) hanno un sacco di soldi!

- Ma Carla _____(3) insegnare tante ore?!
- Ama il suo lavoro.

5 Ascoltate i mini dialoghi e indicate con una **✗** le feste che sentite.

6 Ascoltate di nuovo e completate la tabella.

Fare gli auguri

_____
_____
_____
_____
_____

25 DICEMBRE
Natale

1 GENNAIO
Capodanno

6 GENNAIO
L'Epifania (la Befana)

MARZO APRILE
Pasqua

2 GIUGNO
La Festa della Repubblica

15 AGOSTO
Ferragosto

es. 6-8
p. 190

C) Ospiti di Natale

1 *Ascoltate e sottolineate le preposizioni che sentite.*

a. andiamo
all'/dall'aeroporto

b. arrivano
da/dalla Spagna

c. parla sempre
di/del lavoro

d. vengono in Italia
per/da una settimana

e. per andare dal/nel
giornalaio

f. per/da comprare
qualche libro

g. a/fra una settimana
finisce tutto

2 *In coppia, rileggete le frasi dell'attività C1 e completate la tabella con le preposizioni semplici, come nell'esempio in* blu.

Quale preposizione usiamo per indicare...?

momento futuro	_____	provenienza	_____
scopo	_____	movimento verso persone	*da*
durata	_____		
argomento	_____	destinazione	_____

3 *Adesso leggete il testo e controllate le vostre risposte. Poi fate un breve riassunto orale.*

Stasera io e Silvia andiamo all'aeroporto a prendere Domenico e Carmen che arrivano dalla Spagna. Carmen, la sorella di Silvia, è una ragazza molto simpatica. Domenico, invece, è un tipo noioso, parla sempre di lavoro, in particolare del suo lavoro! È architetto, quindi, non abbiamo molto in comune...

Ogni anno, a Natale, Domenico e Carmen vengono in Italia per una settimana. Ma non vanno mai in albergo! No! Preferiscono stare da noi! Non solo, a Domenico non piace molto uscire di casa, soprattutto se piove o nevica: "fa troppo freddo a Milano", dice. Preferisce passare il tempo su internet o davanti alla tv...

In realtà esce di casa solo per andare dal giornalaio o per comprare qualche libro di architettura.

E poi a Domenico piacciono i dolci, ma tanto: mangia un panettone o un pandoro al giorno!

Pazienza, fra una settimana finisce tutto... come si dice "anno nuovo, vita nuova"!

Pandoro

Panettone

4 *Scrivete due frasi con due preposizioni dell'attività C2.*
Leggete le vostre frasi alla classe: qual è la preposizione più "popolare"?

es. 9-11
p. 191

D) Com'è il tempo?

 1 Ascoltate il dialogo e indicate con una ✗ che tempo fa.

fa caldo

fa freddo

c'è il sole

è nuvoloso

piove

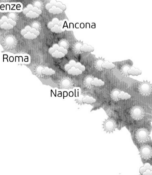
nevica

c'è vento

ci sono 5 gradi

2 Ascoltate di nuovo e guardate la cartina. Secondo voi, in quale città vive la ragazza e in quale il ragazzo? Motivate le vostre risposte.

AB 3 Lavorate in coppia: A va a pag. 145 e B a pag. 148.

4 Che tempo fa oggi nella vostra città?

AB 5 Ancora in coppia: A va a pag. 145 e B a pag. 149.

6 Qual è per voi la festa più importante dell'anno? Raccontate come trascorrete questo periodo/giorno, che cosa fate di solito e con chi.

50-60

es. 12-16
p. 192

LEI È IL SIG. FERRARA?
E ALLORA IO CHI SONO?!
PRONTO?!

A

SIG. FERRARA, COME STA?
GRAZIE, BUON NATALE
ANCHE A LEI!

B

Italia&italiani

Feste, dolci e tradizioni

25 dicembre

Natale

La famiglia e i parenti si ritrovano per un lungo pranzo. A tavola non mancano mai i dolci tradizionali: pandoro, panettone e **torrone**!

Adulti e bambini aprono i regali che Babbo Natale porta durante la notte.

31 dicembre

Capodanno

Gli italiani festeggiano l'arrivo dell'anno nuovo tra amici. Di solito, con una grande cena in casa o al ristorante: il famoso "cenone di San Silvestro". Alcuni invece preferiscono festeggiare nelle piazze.

A mezzanotte tutti salutano il nuovo anno con **spumante** e **fuochi d'artificio**.

1° gennaio

Il primo dell'anno

Stanchi dopo la festa del 31 dicembre, generalmente gli italiani preferiscono passare la giornata a casa e pranzare con la famiglia.

Curiosità

Secondo la tradizione, per essere fortunati tutto l'anno, a Capodanno bisogna mangiare **lenticchie** e portare qualcosa di rosso!

6 gennaio

Epifania

Durante la notte la Befana mette dei dolci nelle **calze** dei bambini buoni.

Ma attenzione! Ai bambini cattivi porta solo carbone!

Buon San Valentino... Sei il mio amore! Auguri

14 febbraio

San Valentino

Anche gli italiani festeggiano San Valentino? Certo! Con **biglietti d'amore**, **cioccolatini** e cene romantiche, a casa o al ristorante.

febbraio

Carnevale

Nelle città italiane durante il mese di febbraio si vive un'atmosfera unica...

Maschere e **costumi**, **coriandoli** e **frittelle** colorano queste giornate di festa!

domenica tra il 22 marzo e il 25 aprile

Pasqua

È tradizione regalare (e non solo ai bambini!) **uova di cioccolato** che nascondono una sorpresa!

La **colomba** è il dolce tipico di questa festa (simile al panettone e al pandoro).

es. 1-3
p. 194

EDILINGUA

COMUNICAZIONE

Fare gli auguri		
Buon anno!	Buona Pasqua!	Buone feste!
Buona Befana!	Buon Natale!	Auguri!

Chiedere che tempo fa	Dire che tempo fa	
• Com'è il tempo? • Che tempo fa?	• Fa caldo. • Fa freddo. • C'è il sole. • È nuvoloso.	• Piove. • Nevica. • C'è vento. • Ci sono 5 gradi.

GRAMMATICA

Le preposizioni articolate (II)

+	il	lo	l'	la	i	gli	le
a	al	allo	all'	alla	ai	agli	alle
di	del	dello	dell'	della	dei	degli	delle
da	dal	dallo	dall'	dalla	dai	dagli	dalle
in	nel	nello	nell'	nella	nei	negli	nelle
su	sul	sullo	sull'	sulla	sui	sugli	sulle
con	con il	con lo	con l'	con la	con i	con gli	con le
fra/tra	fra/tra il	fra/tra lo	fra/tra l'	fra/tra la	fra/tra i	fra/tra gli	fra/tra le
per	per il	per lo	per l'	per la	per i	per gli	per le

Uso delle preposizioni

momento futuro	Fra/Tra una settimana Domenico e Carmen tornano in Spagna.
scopo	Per il cenone di Capodanno penso di preparare qualcosa di diverso! Domenico esce solo per comprare qualche libro di architettura. Va a sciare sul Gran Sasso.
durata	Vengono in Italia per una settimana. Dal 3 al 6 gennaio. Dalle 9 del mattino alle 8 di sera.
argomento	Parla sempre di lavoro, in particolare del suo lavoro!
provenienza	Arrivano dalla Spagna.
movimento verso persone	Va dal giornalaio/dal medico/da Mario.
destinazione	Andiamo all'aeroporto/all'estero/all'agenzia. Un mio amico parte per la Francia. Va sul Gran Sasso ogni anno. I Rossi vanno in Svizzera.
per specificare	Dalle 9 del mattino alle 8 di sera. Date un'occhiata sul sito dell'agenzia.
tempo	Avete dei pacchetti per la settimana bianca? A Natale, a Capodanno? Nel pomeriggio c'è Irene.
luogo	Preferisce passare il tempo su internet. Date un'occhiata sul sito dell'agenzia.

Al matrimonio

Unità **8**

In questa unità impariamo a:
- descrivere il carattere di una persona
- esprimere possesso (II)
- chiedere e dare l'indirizzo
- parlare della famiglia

Pronti?

1 *Lavorate in coppia. Fate l'abbinamento come negli esempi in blu.*

Luigi Cremonini   Martina Meloni

annunciano il loro matrimonio

14 luglio, ore 11
Chiesa di Gesù e Maria
via del Corso, 45 Roma

Roma, via Cavallotti 6

Roma, via Gallia 13   Roma, via Appia 150

*Congratulazioni
e auguri
per il matrimonio!*

padre ___	matrimonio ___	madre ___	sposo ___	biglietto di auguri ___ figlio ___
parente _10_	figli _2_ e _3_	figlia ___	genitori ___ e ___	sposa ___ partecipazione _5_

2 *Cos'è più importante per voi e perché? Indicate con un numero da 1 a 4 (1 = molto importante).*

la famiglia ⬤   gli amici ⬤   i figli ⬤   il lavoro ⬤

3 *Osservate le immagini di pag. 88 e raccontate cosa succede. Poi fate l'attività A1.*

A) Anche tu qui?

1 Ascoltate il dialogo e indicate con una ✗ se le affermazioni sono vere o false.

	V	F
1. Anna fa un complimento a Carla per i suoi capelli.	○	○
2. Secondo Carla, Gianni è molto elegante.	○	○
3. I ragazzi parlano mentre aspettano la sposa.	○	○
4. Bruno non conosce Luigi, lo sposo.	○	○
5. Alice è da sola al matrimonio.	○	○
6. Alice sembra molto felice.	○	○

2 Leggete e completate il dialogo con le battute a-d. Poi guardate l'animazione.

NO... SEI MOLTO BELLA!
a

SÌ, SONO SOLO UN PO' STANCA.
b

OH, CIAO ANNA. ANCHE TU QUI?
c

LUIGI! È MOLTO SIMPATICO, SOCIEVOLE, CUCINA BENE ED È ANCHE BELLO!
d

3 In coppia scrivete un mini dialogo con una delle espressioni in blu di pag. 88. Poi leggete le vostre frasi alla classe.

- _____
- _____

es. 1-2
p. 195

B) Che tipo è lo sposo?

1 Abbinate gli aggettivi alle definizioni, come nell'esempio in blu. Poi osservate i contrari.

> È molto simpatico, socievole...

Una persona che...

1. sorride spesso
2. vede il lato positivo delle cose
3. ama stare con gli altri
4. ama dare agli altri
5. è cortese con gli altri
6. piace agli altri

a. simpatica ≠ antipatica
b. allegra ≠ triste
c. generosa ≠ egoista
d. ottimista ≠ pessimista
e. gentile ≠ maleducata
f. socievole ≠ timida

2 **Indovina chi è!** Su un foglio descrivete il vostro carattere con due o tre aggettivi dell'attività B1. L'insegnante raccoglie e mischia i fogli e poi li legge uno per uno alla classe. Vediamo se indovinate di chi è ogni foglio!

3 Che cosa pensate dei protagonisti della storia? Chi è più simpatico, secondo voi? Motivate le vostre risposte.

4 *In coppia. Osservate le foto e fate dei mini dialoghi secondo l'esempio.*

Com'è...? / Che tipo è...?

Sembra una persona simpatica e...

Silvia Marta

Franco

Paola

Giulio

es. 3-5
p. 195

5 *Leggete le frasi e poi completate la tabella con i possessivi a destra.*

Carla, che belle le tue scarpe!

Bruno è in chiesa con i suoi parenti.

I possessivi (II)

(io)	il mio nome	la mia paura	i miei amici	le _____ giornate	tuoi
(tu)	il tuo succo	la tua cucina	i _____ libri	le tue amiche	vostri
(lui, lei)	il suo caffè	la _____ scuola	i suoi figli	le sue scarpe	Sue
(Lei)	il Suo paese	la Sua età	i Suoi occhi	le _____ parole	mie
(noi)	il _____ tavolo	la nostra vita	i nostri hobby	le nostre vacanze	nostro
(voi)	il vostro amico	la vostra città	i _____ parenti	le vostre colleghe	loro
(loro)	il loro autobus	la _____ casa	i loro soldi	le loro azioni	sua

6 *Cerchiate il possessivo giusto.*

es. 6-7
p. 196

1. Come stanno le tuoi/tue amiche?
2. Mi piacciono le sue/suoi canzoni.
3. Signora, il Suo/vostro vestito è molto bello!
4. I tue/nostri amici arrivano stasera.
5. I miei/nostre genitori sono molto socievoli.

Guardate le immagini di pag. 91: secondo voi, di che cosa parlano i ragazzi? Poi fate l'attività C1.

Torniamo alla storia

Gianni: "Non adesso"?! Quindi, ha bisogno di parlare con qualcuno...

Anna: Appunto! Secondo me, ha paura di suo marito!

Carla: Dici? Ma perché, Ferrara è pericoloso?!

Anna: Beh, a me sembra pericoloso! Una persona che urla così...

Gianni: Infatti... Va bene qui?

Anna: Perfetto! Buonanotte, ragazzi!

Gianni: Buonanotte! ...E tu dove abiti, in Via Parini?

Carla: Giusto, in Via Parini 24.

Gianni: Bel matrimonio, no?

Carla: Sì, mi piacciono i matrimoni.

Gianni: Anche a me. Senti, Carla... Scusa un attimo, è mia madre... Ciao mamma!

madre: Ciao amore, sei fuori?

Gianni: Sono in macchina, tutto bene?

madre: Beh, insomma... sai che tuo padre ha mal di schiena... Tu stai bene, mangi abbastanza?

Gianni: Sì, sì... Senti, mamma, domani passo, ok?

madre: Ah, domani è il compleanno di tuo cugino Fabio. Vieni, no?

Gianni: Non so, forse...

madre: Ma è da un anno che non vedi i tuoi cugini! E poi tua zia...

Gianni: Scusa, mamma, ma proprio adesso bisogna parlare di zia Carla?!

madre: Ok, tesoro, hai ragione. A proposito, non si chiama Carla anche la ragazza che...

Gianni: Mamma, buonanotte!... Scusa!

Carla: Figurati... eh... le mamme! Qui! Grazie, buonanotte Gianni!

Gianni: Prego... buonanotte!

C) Ciao amore!

1 Ascoltate il dialogo o guardate il video 1-2 volte. Poi rispondete alle domande, oralmente o per iscritto.

1. Secondo Anna, perché Alice ha bisogno di parlare con qualcuno?
2. Secondo Anna, com'è Ferrara?
3. Che cosa ricorda la mamma a Gianni?
4. Perché Gianni interrompe la telefonata?

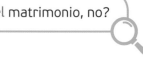

Bel matrimonio, no?

2 Ora leggete il dialogo e controllate le vostre risposte.

3 a Osservate le espressioni in blu e indicate la risposta giusta.

Appunto! Secondo me, ha paura di suo marito!

Dici? Ma perché, Ferrara è pericoloso?!

1. Anna dice così perché
   a. è d'accordo con Gianni
   b. non capisce la battuta di Gianni

2. Carla dice così perché
   a. non sente quello che dice Anna
   b. trova un po' strano quello che dice Anna

Beh, insomma...

A proposito, non si chiama Carla anche la ragazza che...

3. La madre di Gianni usa questa parola perché
   a. va tutto benissimo
   b. le cose vanno così e così

4. Poi usa questa espressione
   a. per collegare questa frase a quella di prima
   b. per cambiare completamente argomento

b Ora completate le frasi con tre espressioni in blu dell'attività 3a.

1. • Come stai? • _____, sono molto stanco.
2. • Bel tipo Andrea, vero? • _____ Mah... a me non piace tanto.
3. • Stasera viene anche Stefano. • Bene. _____, come sta?

es. 8-10
p. 197

D) Foto di famiglia

1 Anna mostra a Gianni una foto della sua famiglia. Ascoltate il dialogo e indicate con una **✗** le parole che sentite.

- ◯ zio
- ◯ moglie
- ◯ cugino
- ◯ padre
- ◯ madre
- ◯ sorella

- ◯ figlio
- ◯ marito
- ◯ figlia
- ◯ nonni
- ◯ nipote
- ◯ fratelli

2 Ascoltate di nuovo il dialogo e scrivete i nomi dei parenti che mancano.

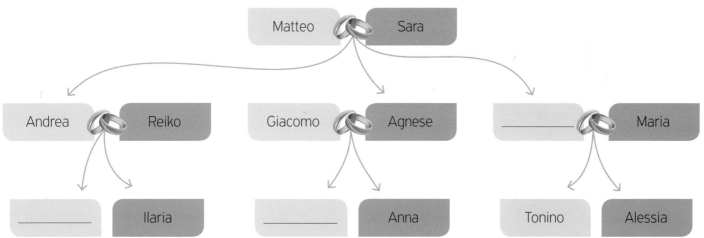

3 In coppia, completate il cruciverba e scoprite, nelle caselle verdi, chi sono Giacomo e Agnese. Se necessario, ascoltate di nuovo il dialogo.

1. Luca e Tonino sono ...
2. Tonino ha una ... più piccola.
3. Sara è la ... di Fabio.
4. Andrea è uno degli ... di Anna.
5. Fabio è il ... di Matteo.
6. Matteo e Sara sono marito e ...
7. Anna e Fabio sono ...
8. Luca è il ... di Andrea.

   Giacomo e Agnese sono i ... di Anna.

es. 11
p. 198

4 Leggete le frasi. Poi inserite "con" e "senza" nella tabella.

> Sono i tuoi nonni?

> Mia nonna ha 65 anni.

I possessivi con i nomi di parentela

_____ articolo

- mia madre, tuo padre, suo fratello, nostro zio, vostro cugino (ma: ~~loro madre~~)

_____ articolo

- le mie sorelle, i miei cugini, i nostri figli, le vostre zie ecc.
- *loro*: il loro padre, la loro madre ecc.
- la mia mamma, il mio papà, la sua sorellina, la nostra nipotina ecc.
- la mia sorella maggiore, il mio zio preferito ecc.

5 In coppia. Ognuno pensa a 4 parole (2 oggetti e 2 nomi di parentela). Poi a turno dite al compagno una parola e un numero da 1 a 6 (a ogni numero corrisponde un possessivo: 1 = mio, 2 = tuo ecc.). Il compagno deve rispondere subito, come nell'esempio.

> zii – 4

> I nostri zii.

es. 12
p. 198

AB 6 Ricordate la telefonata tra Gianni e la madre? In coppia, recitate un dialogo simile. Lo studente A va a pag. 146 e lo studente B a pag. 149.

7 Leggete il testo e mettete in ordine i paragrafi, come nell'esempio in blu.

a [ ] Sono tante però le abitudini* che legano* la famiglia del passato a quella del presente. Prima di tutto, le famiglie italiane siedono, per almeno un pasto* al giorno, intorno allo stesso tavolo: una delle poche occasioni per stare tutti insieme.

b [ ] La famiglia italiana è molto diversa da quella di cinquanta anni fa. Le famiglie moderne sono sempre più piccole: una coppia con uno, due o nessun figlio, o un solo genitore con figli.

c [4] Inoltre, a volte uno dei nonni, specialmente se è solo, vive in casa con uno dei figli, o almeno nella stessa zona.

d [ ] Infine, un fenomeno tutto italiano è che spesso i figli vivono con i loro genitori fino a 30-35 anni.

e [ ] Un altro elemento che unisce presente e passato è lo stretto legame* tra i familiari. Gli italiani sono sempre pronti ad aiutare i loro parenti e, anche se vivono lontani, cercano sempre di stare tutti insieme in occasione di feste importanti, matrimoni ecc.

*abitudine: qualcosa che facciamo spesso | legare: unire, collegare
pasto: colazione, pranzo, cena ecc. | legame: qualcosa in comune, collegamento

8 Un amico chiede informazioni sulla vostra famiglia. Descrivete i vostri familiari.

es. 13-15
p. 199

60-70

Italia&italiani

Famiglie e...

L'italia è il Paese europeo con più nonni e meno nipoti.

Le coppie, infatti, fanno sempre meno figli (in media, una famiglia italiana ha 2,4 componenti).

Cresce, invece, il numero delle:
- coppie senza figli,
- famiglie con un solo genitore,
- famiglie multiculturali,
- famiglie allargate*.

...matrimoni

Gli italiani si sposano sempre più tardi e molte donne hanno il loro primo figlio dopo i 35 anni.

Le coppie preferiscono sposarsi in chiesa ma sono sempre di più quelle che scelgono il matrimonio civile (*foto 1*) o la semplice convivenza*.

Dopo il rito del matrimonio (di mattina o di pomeriggio) e il lancio del riso (*2*), gli sposi vanno con parenti e amici al ristorante, dove mangiano, bevono e ballano per ore.

Per tradizione, gli sposi regalano a ogni invitato una bomboniera (*3*) con cinque o sette confetti (*4*).

es. 1-2
p. 200

Sapete che...?

Cosa regalare agli sposi?

Gli invitati regalano agli sposi oggetti per la loro nuova casa. Per questo, di solito, la coppia sceglie un negozio e prepara una lista di regali (la lista di nozze*).

Alcune coppie invece preferiscono ricevere in regalo il viaggio di nozze.

Se gli sposi non hanno la lista di nozze in un negozio o in un'agenzia di viaggi, potete dare dei soldi in una busta.

Curiosità

Il wedding tourism

Molti stranieri (e anche personaggi famosi!) scelgono di sposarsi in una città d'arte italiana, come Firenze, Roma, Venezia...

* *allargate*: nuove famiglie che si formano dopo separazioni e divorzi
convivenza: vivere insieme senza sposarsi
nozze: matrimonio

COMUNICAZIONE

Descrivere il carattere di una persona

- Com'è...?
- Che tipo è...?

- • Sembra una persona simpatica, allegra, generosa.
- • Sembra una persona ottimista, gentile, socievole.
- • È simpatico/a, allegro/a, generoso/a, gentile, socievole.
- • È antipatico/a, maleducato/a, egoista.
- • È triste, pessimista, timido/a.

Chiedere l'indirizzo

- Dove abiti?

Dare l'indirizzo

- In Via Parini 24.

GRAMMATICA

Gli aggettivi possessivi (II)

	singolare		plurale	
	maschile	femminile	maschile	femminile
(io)	il mio nome	la mia paura	i miei amici	le mie giornate
(tu)	il tuo succo	la tua cucina	i tuoi libri	le tue amiche
(lui, lei)	il suo caffè	la sua scuola	i suoi figli	le sue scarpe
(Lei)	il Suo paese	la Sua età	i Suoi occhi	le Sue parole
(noi)	il nostro tavolo	la nostra vita	i nostri hobby	le nostre vacanze
(voi)	il vostro amico	la vostra città	i vostri parenti	le vostre colleghe
(loro)	il loro autobus	la loro casa	i loro soldi	le loro azioni

Gli aggettivi possessivi con i nomi di parentela

senza articolo	
con i nomi al singolare	mia madre, tuo padre, suo fratello, nostro zio, vostro cugino (ma: ~~loro madre~~)

con articolo	
con i nomi al plurale	le mie sorelle, i miei cugini, i nostri figli, le vostre zie
con loro (anche al singolare)	il loro padre, la loro madre
con i nomi "affettivi"	la mia mamma, il mio papà
se c'è un aggettivo	la mia sorella maggiore, il mio zio preferito
con i nomi alterati	la sua sorellina, la nostra nipotina

In questa unità impariamo a:

▶ consigliare un piatto
▶ parlare di piatti e pasti
▶ esprimere preferenza
▶ ordinare al ristorante
▶ parlare di locali
▶ localizzare oggetti nello spazio

Al ristorante

Unità 9

Pronti?

1 *Completate con* penne, margherita, spaghetti, pomodoro, bistecca *e* pizza.

1

_____ al ragù

2

gnocchi al _____

3

_____ quattro stagioni

4

_____ al pomodoro

5

_____ alla fiorentina

6

pizza _____

 2 *Conoscete altri piatti italiani? A voi piace la cucina italiana? Andate spesso in ristoranti o pizzerie italiani?*

 3 **a** *Ascoltate il dialogo o guardate il video. Cosa ordinano i quattro ragazzi? Scrivete nei quadratini i numeri dei piatti dell'attività 1.*

Anna ◯

Bruno ◯

Carla ◯

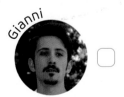
Gianni ◯

b *Ascoltate o guardate di nuovo e controllate le vostre risposte. Poi fate l'attività A1.*

Anna: Io prendo solo un primo... le penne al pomodoro. E tu, Carla?

Carla: Hmm... io provo gli spaghetti al ragù. E voi, ragazzi?

Bruno: Io sono indeciso, ci sono un sacco di piatti! Allora...

10 minuti dopo...

Carla: Allora?! Dai, ragazzi, abbiamo fame!

Gianni: Qualche idea? Preferisco la pizza alla pasta, però mi piacciono tutte!

Bruno: Perché non prendi un secondo? Una bella bistecca alla fiorentina, magari?

Carla: Per favore, non ricominciamo! Dovete decidere, siamo qui da 20 minuti! Bruno?

Bruno: Allora, per me la bistecca.

Gianni: Non mi va la carne, vorrei una pizza margherita. O forse...

Anna: Bravo, qui fanno una margherita fantastica! Ottima scelta!

Carla: Prendiamo un contorno, due insalate verdi?

Bruno: Ok. Da bere? Acqua naturale, no?

Anna: Bene, ora vogliamo ordinare? Se no Gianni cambia di nuovo idea!

Più tardi...

Bruno: Ma perché ogni volta finiamo per parlare dei Ferrara?

Anna: Sì, io comincio a parlare di loro e voi dite che sono esagerata...

Gianni: No, anche secondo me c'è qualcosa che non va!

Anna: Io sono preoccupata per Alice... Sembra avere veramente paura di lui!

Bruno: Ma le coppie sono così... Cosa credi? Anche tu a volte fai paura a me!

Anna: Ma che dici?! Scemo!

Carla: Scusi, può portare il conto e quattro caffè?

A) Ora vogliamo ordinare...?

1) *Leggete il dialogo e collegate le frasi ai ragazzi. La b e la d corrispondono a due personaggi.*

b ☐ ☐ Anna   ☐ ☐ Carla   ☐ *c* Bruno   ☐ ☐ Gianni

a. dà un consiglio a Gianni   b. prende un primo piatto   c. prende in giro Anna

d. sa subito cosa vuole mangiare   e. è sempre preoccupata per Alice

f. è d'accordo con Anna   g. è il più indeciso di tutti

2) *In coppia, fate l'abbinamento, come nell'esempio in blu.*

a. accompagna un piatto

b. servito all'inizio di un pasto

c. piatto a base di pasta o riso

insalata verde

bruschetta

risotto ai funghi

Menù

b ANTIPASTO
☐ PRIMO (piatto)
☐ SECONDO (piatto)
☐ CONTORNO
☐ DOLCE

d. servito alla fine di un pasto

tiramisù

e. piatto a base di carne o pesce

cotoletta alla milanese

3) *In due gruppi, trovate nel dialogo le espressioni per consigliare un piatto e per esprimere preferenza. Il gruppo A cerca tra le battute dei ragazzi e il gruppo B tra quelle delle ragazze. Alla fine, condividete le battute trovate.*

CONSIGLIARE UN PIATTO

ESPRIMERE PREFERENZA

es. 1-2
p. 201

4) *Lavorate a coppie. Siete in un ristorante, guardate il menù a pagina 152, ma siete indecisi. Usate le espressioni dell'attività A3 e fate un dialogo. Alla fine recitate il dialogo davanti alla classe.*

5) *Quali espressioni evidenziate in blu nel dialogo possono sostituire le parti in rosso di queste frasi?*

a. Secondo me, in questa storia c'è qualcosa di strano!

b. Al ristorante di Luigi c'è sempre tanta gente.

c. Quando non ho voglia di cucinare, ordino una pizza.

d. Avete il tiramisù? Altrimenti prendo il gelato.

es. 3-4
p. 201

6 Leggete le frasi: cosa c'è dopo i verbi in blu? In coppia, scoprite nel parolone le forme verbali per completare la tabella.

Dovete decidere...   ...vogliamo ordinare?

...può portare il conto?

p o s s o d e v e v o g l i a m o d o b b i a m o v o l e t e p o t e t e v u o i d e v o n o p u o i

	potere	volere	dovere
io	_____	voglio	devo
tu	_____	_____	devi
lui, lei, Lei	può	vuole	_____
noi	possiamo	_____	_____
voi	_____	_____	dovete
loro	possono	vogliono	_____

es. 5-6
p. 202

B) Buon appetito!

1 Sottolineate le espressioni che potete sentire nel dialogo tra un cameriere e un cliente.

Scusi, possiamo ordinare?

Vorrei una panna cotta.

Volete anche il dolce?

Io prendo una margherita.   E con questo?

Volete ordinare?   Disturbo?   Basta così?

Cosa prendete da bere?   Quanti anni ha?

Sono a dieta.   Per me le penne al pomodoro.

2 Ascoltate le due ordinazioni e indicate a quali tavoli corrispondono. Attenzione: c'è un foglietto in più!

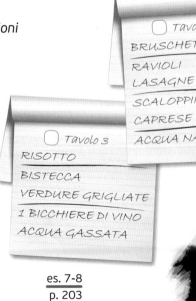

3 Ascoltate di nuovo e lavorate a coppie. A va a pag. 146 e B a pag. 149.

○ Tavolo 6
BRUSCHETTE
RAVIOLI
LASAGNE
SCALOPPINE
CAPRESE
ACQUA NATURALE

○ Tavolo 8
MOZZARELLA
BRUSCHETTE
PENNE AL POMODORO
RISOTTO
ACQUA GASSATA
VINO BIANCO

○ Tavolo 3
RISOTTO
BISTECCA
VERDURE GRIGLIATE
1 BICCHIERE DI VINO
ACQUA GASSATA

es. 7-8
p. 203

101

C) Perché devi gridare?

1 Ascoltate una o due volte il dialogo e indicate l'affermazione giusta.

1. Anna telefona ad Alice, ma
   a. risponde il sig. Ferrara
   b. lei non è in casa
   c. non possono parlare ora

2. I Ferrara mangiano
   a. un piatto che Alice non cucina mai
   b. una specialità messicana
   c. un piatto tipico del paese di Alice

3. I Ferrara litigano
   a. perché Massimo è stanco, lavora troppo
   b. perché a Massimo non piace quel piatto
   c. perché Anna chiama all'ora di pranzo

4. Alla fine Massimo
   a. esce di casa
   b. va con Alice al ristorante
   c. cucina qualcos'altro

2 Leggete il dialogo o guardate l'animazione e controllate le vostre risposte. Poi fate un breve riassunto.

3 Completate le frasi con le espressioni evidenziate in blu nel dialogo di pag. 101.

a. Cosa _____ mangiare a colazione? A me latte e cereali.

b. Perché non prepari qualcosa di diverso per cena? _____ queste verdure!

c. _____ con la dieta! Adesso mangio una bella carbonara!

d. Vengo anch'io al cinema con voi stasera! _____!

4 In coppia, abbinate le parole alle immagini, come negli esempi in blu.

i cereali	4
il formaggio	
la pasta	
il caffè	
la carne	
il latte	
il pesce	
il cornetto	9
la verdura	
lo yogurt	
la frutta	
le uova	6

5 A coppie: a turno chiedete a un compagno cosa mangia o beve a colazione (mattina), a merenda (tra i pasti), a pranzo (metà giornata) e a cena (sera). Poi riferite alla classe le abitudini del compagno. Potete aggiungere informazioni come "spesso", "di solito", "ogni tanto" e "raramente".

es. 9-11
p. 203

D) Andiamo spesso...

1) *Guardate le foto e rispondete alle domande. Secondo voi...*

(in) trattoria

(al) ristorante

(al) fast food

(in) pizzeria

a. qual è il locale più costoso?
b. dove non bisogna prenotare il tavolo?
c. quali locali hanno un'atmosfera familiare e informale?
d. dove va la gente se vuole spendere poco?

2) *Adesso ascoltate quattro brevi interviste e verificate le vostre ipotesi.*
Ascoltate di nuovo e cerchiate il locale (T = trattoria, F = fast food, R = ristorante, P = pizzeria)
che corrisponde a ogni affermazione, come nell'esempio in blu.

1. È abbastanza economica. (T) F R P
2. Ha un menù ricco. T F R P
3. Ha un'atmosfera formale. T F R P
4. È necessario prenotare. T F R P
5. Il locale è accogliente. T F R P

6. La cucina è tradizionale. T F R P
7. La qualità non è ottima. T F R P
8. È molto elegante. T F R P
9. Non servono primi e secondi. T F R P
10. Il menù non cambia da anni. T F R P

3) *Voi mangiate spesso fuori casa? Dove e perché? Se i compagni conoscono il "vostro" locale*
possono aggiungere dei commenti.

4) *Scrivi un breve testo: qual è il tuo locale preferito? Perché?*

es. 12
p. 204

0-70

l'acqua
il pepe
l'olio
il pane
ACQUA
il sale
il bicchiere
il cucchiaio
la forchetta
il coltello
il piatto
il tovagliolo

E) Dov'è il pepe?

1

a *Lavorate a coppie. Osservate il tavolo per 30 secondi. Poi chiudete il libro e, a turno, fate al vostro compagno tre domande, secondo gli esempi.*

C'è l'acqua?

Quanti bicchieri ci sono?

b *Ora aprite il libro e controllate le vostre risposte.*

2 Sempre a coppie, guardate di nuovo l'immagine dell'attività E1: una delle seguenti affermazioni è sbagliata. Vince la coppia che scopre per prima l'errore!

a. L'olio è sopra il tavolo.
b. Il piatto è tra il coltello e la forchetta.
c. La bottiglia dell'acqua è al centro del tavolo.
d. Il pane è dietro il pepe e il sale.

e. Il tovagliolo è sotto il coltello.
f. Il piatto è davanti ai bicchieri.
g. L'acqua è dentro la bottiglia.
h. Il coltello è accanto al cucchiaio.

3 A turno descrivete un'immagine ("Le banane sono ... cestino") al compagno che deve indovinare qual è. Ogni risposta giusta vale 1 punto. Vediamo chi fa più punti!

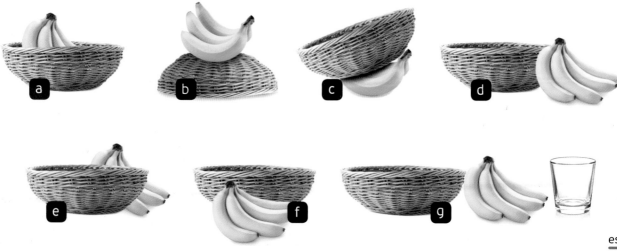

a
b
c
d

e
f
g

es. 13-15
p. 205

Italia&italiani

Gli italiani a tavola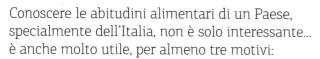

Conoscere le abitudini alimentari di un Paese, specialmente dell'Italia, non è solo interessante... è anche molto utile, per almeno tre motivi:

1. Siete sicuri di trovare il ristorante aperto!
2. Se ordinate il cappuccino dopo un pasto, capite perché il cameriere sa che siete stranieri!
3. Capite perché carne e pasta non sono mai nello stesso piatto!

Scopriamo allora insieme le abitudini italiane!

> Solo nelle occasioni importanti, come i matrimoni, gli italiani fanno un pasto completo, che dura molte ore.

Colazione	Gli italiani fanno una colazione veloce e leggera. Di solito bevono un caffè o un cappuccino e mangiano qualcosa di dolce: una brioche, dei biscotti o pane con burro e marmellata.
Pranzo	È il pasto principale e più completo: un primo, un secondo con contorno e frutta. Oggi però le persone hanno meno tempo e preferiscono un piatto unico.
Merenda	Molti fanno uno spuntino con un frutto o uno snack dolce o salato a metà mattina o a metà pomeriggio.
Cena	La sera le famiglie italiane cenano insieme a casa, spesso solo con un secondo e un contorno.
Orari	Da Nord a Sud gli orari dei pasti cambiano: di solito, gli italiani pranzano tra le 12:30 e le 14:30 e cenano tra le 19:30 e le 21:30.

Curiosità

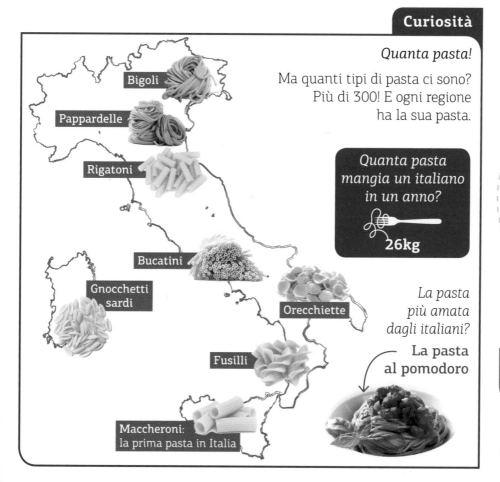

Quanta pasta!

Ma quanti tipi di pasta ci sono? Più di 300! E ogni regione ha la sua pasta.

Bigoli
Pappardelle
Rigatoni
Bucatini
Gnocchetti sardi
Orecchiette
Fusilli
Maccheroni: la prima pasta in Italia

Quanta pasta mangia un italiano in un anno?

26kg

La pasta più amata dagli italiani?

La pasta al pomodoro

Anche quando hanno fretta, sono in ufficio o per strada, gli italiani amano mangiare bene... ecco perché al cibo del classico fast food preferiscono un panino, un pezzo di pizza o un'insalata!

Sapete che...?

Il tiramisù è il dolce italiano più conosciuto al mondo.

es. 1-2
p. 206

COMUNICAZIONE

Consigliare un piatto

Perché non prendi un secondo? Una bella bistecca alla fiorentina, magari?
Qui fanno una margherita fantastica.
Prendiamo un contorno, due insalate verdi?

Esprimere preferenza

Preferisco la pizza alla pasta.
Mi piacciono tutte!
Vorrei una pizza margherita.

Per me la bistecca.
Non mi va la carne.

Ordinare al ristorante

	• Scusi, possiamo ordinare?
• Prego, signori. • Volete ordinare?	• Sì, due bruschette al pomodoro per antipasto. • Per me le penne al pomodoro. • Io prendo una margherita. / Vorrei una pizza.
• Volete anche un secondo?	• Prendo una cotoletta alla milanese.
• E per contorno?	• Un piatto di verdure grigliate. / Un'insalata.
• Cosa prendete da bere? • E da bere?	• Avete vino rosso della casa? • Una bottiglia d'acqua naturale/gassata. • Un bicchiere del vino della casa.
• Prendete il dolce?	• Vorrei una panna cotta.
• Basta così?	• Può portare il conto e quattro caffè?

GRAMMATICA

Presente indicativo dei verbi modali

	potere	volere	dovere
io	posso	voglio	devo
tu	puoi	vuoi	devi
lui, lei, Lei	può	vuole	deve
noi	possiamo	vogliamo	dobbiamo
voi	potete	volete	dovete
loro	possono	vogliono	devono

Preposizioni per localizzare oggetti nello spazio

SOPRA + articolo + nome — *Il sale è sopra il tavolo.*

TRA/FRA + articolo + nome + **E** + articolo + nome — *Il piatto è tra il coltello e la forchetta.*

AL CENTRO + **DI** + articolo + nome — *La bottiglia dell'acqua è al centro del tavolo.*

DIETRO + articolo + nome — *Il pane è dietro il pepe e il sale.*

SOTTO + articolo + nome — *Il tovagliolo è sotto il coltello.*

DAVANTI + **A** + articolo + nome — *Il piatto è davanti ai bicchieri.*

DENTRO + articolo + nome — *L'acqua è dentro la bottiglia.*

ACCANTO + **A** + articolo + nome — *Il coltello è accanto al cucchiaio.*

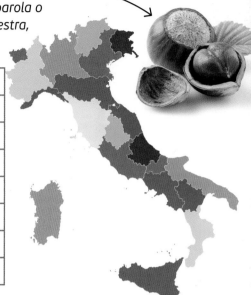

1 Quale regione italiana è famosa per le sue **nocciole**? Cerchiate la parola o l'espressione estranea e scrivete la lettera rossa nella colonna a destra, come nell'esempio. Poi indicate la regione sulla cartina.

1.	sposo	zio	nonno	cugino	
2.	mare	montagna	campagna	gita	
3.	spaghetti	cotoletta	panettone	lasagne	
4.	ottimista	maleducato	generoso	simpatico	
5.	sopra	(poi)	accanto	sotto	O
6.	è mattina	piove	fa caldo	c'è vento	
7.	settembre	gennaio	autunno	ottobre	
8.	forchetta	impiegata	bicchiere	piatto	

2 Picnic di Pasquetta al parco di Villa Ada. Completate il dialogo: negli spazi rossi mettete i possessivi (con o senza articolo); negli spazi blu la forma giusta dell'aggettivo "bello".

Villa Ada, Roma

Anna: Giulia, il ragazzo biondo e alto è Giacomo, _____(1) fidanzato?

Giulia: No, quello è Luca: _____(2) fratello.

Anna: Ah! Ma che _____(3) ragazzo! Allora _____(4) fidanzato è quello con i baffi?

Giulia: No, no! Quello è _____(5) cugino Giovanni! Vive a Napoli. È qui con _____(6) ragazza.

Anna: Ah! È un _____(7) uomo e anche lei è una _____(8) ragazza!

Giulia: Sì, belli e bravi... Sono cuochi!

Anna: Davvero? Allora chissà cosa hanno per il picnic!!

❧ Buon appetito! ❧

Giocate in 3 o in 3 piccoli gruppi. Ogni giocatore parte da una delle **Ordinazioni** agli angoli: **Tavolo A, B** e **C**. A turno, tirate il dado: ogni volta potete decidere se andare a destra o a sinistra. I piatti, le bevande e i caffè sono le caselle e sono divisi in quattro categorie: *Antipasti&Bevande*, *Primi*, *Secondi&Contorni*, *Dolci&Caffè*. Quando arrivate su una casella, il giocatore alla vostra sinistra sceglie per voi uno dei compiti del **Menù** a pag. 109. Se rispondete corretta-mente, mettete una **✗** nella categoria corrispondente della vostra **Ordinazione**. Ad esempio, se siete su un caffè e rispondete correttamente, mettete una **✗** in *Dolci&Caffè*. Dopo, il turno passa al giocatore successivo. Vince chi completa per primo la sua **Ordinazione**.

Se...

...arrivate su una categoria che avete già completato, fate comunque il compito: se rispondete correttamente, mettete una **✗** negli **Extra**;

...finiscono i compiti e nessuno ha completato l'**Ordinazione**, vince chi ha più piatti e bevande in totale.

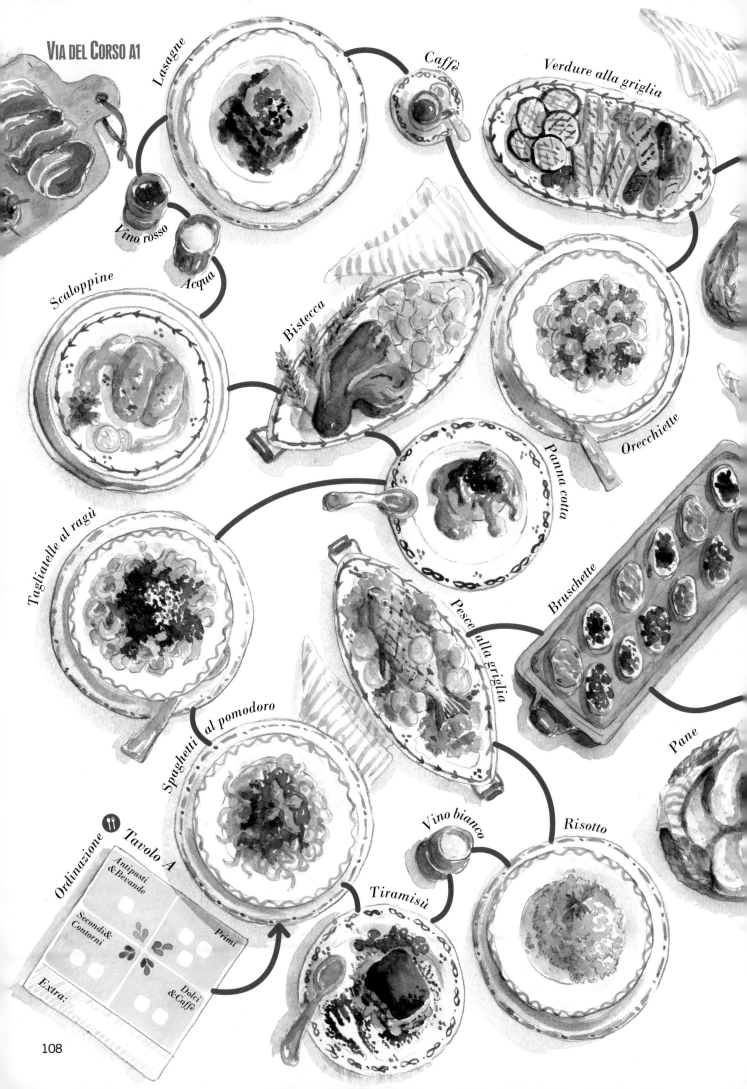

Lasagne

Caffè

Verdure alla griglia

Vino rosso

Acqua

Scaloppine

Bistecca

Panna cotta

Orecchiette

Tagliatelle al ragù

Bruschette

Pesce alla griglia

Pane

Spaghetti al pomodoro

Vino bianco

Risotto

Tiramisù

Ordinazione 🍴 Tavolo A

Antipasti & Bevande

Primi

Secondi & Contorni

Dolci & Caffè

Extra:

❧ Menù ❧

- È il 25 dicembre. Che cosa dici ad amici e parenti?
- "Sembra simpatico e socievole." Fai una domanda.
- Trasforma: *Questa macchina è dei miei genitori.*
  → *Questa è la ... macchina.*
- Telefona a un compagno e invita lui e sua sorella al cinema.
- Metti in ordine:
  il / Visconti. / ufficio / via / suo / in / è
- 3 parole del Carnevale.
- Una persona che ama dare agli altri è ...
- È inverno. Che tempo fa? Dove vai in vacanza?
- 5 cose che ci sono in classe.
- In trattoria di solito trovi piatti gourmet/internazionali/tradizionali.
- "Il 27 gennaio." Fai una domanda.
- Un amico dice: "Parli benissimo l'italiano!" Non ci credi, cosa rispondi?
- La zia di mio cugino è:
  nostra sorella/la mia mamma/sua nipote
- "Vai spesso in Italia?" "Sì, ... vado ogni estate."
- Chi porta i dolci ai bambini il 6 gennaio?
- Ordina una pizza al cameriere.
- Preferisco il vino rosso ... vino bianco.
- Guarda la tavola a sinistra. Dov'è il pane?
- In media, quanti componenti ha la famiglia italiana? 2,4/3,6/4,1.
- È agosto, sei al mare. Che tempo fa? In che stagione siamo?
- "Vieni a sciare con me?" Rifiuta perché è troppo costoso.
- Sei in trattoria con un'amica. Consiglia un piatto.
- Trova e correggi l'errore: *Luigi ha un zaino azzurro.*
- Stasera vado ... mangiare fuori con gli amici.
- L'acqua è dietro/dentro/sotto il bicchiere.
- Le prime tre persone dei verbi *potere* e *dovere*.
- Leggi e fai il totale: 1950 + 2040 = ...
- Descrivi un tuo compagno con 3 aggettivi.
- Il dolce tipico della Pasqua italiana è ...
- Il museo è aperto ... 10 ... 18.
- Il contrario di *ottimista* è ...
- La sorella di mio nonno è la ... del mio papà.
- Le ultime tre persone del verbo *volere*.
- Trova e correggi l'errore: *La sposa è la mia cugina.*
- Non mi fa/va/voglia il pesce, prendo solo la verdura.
- Luca arriva ... una settimana.

3 Vacanze in Spagna. Completate il testo con le preposizioni (con o senza articolo).

_____(1) una settimana parto _____(2) Spagna. Vado dieci giorni al mare _____(3) mie amiche Ester, Paula e Mary, che è inglese, ma lavora _____(4) Stati Uniti. Abbiamo tutte bisogno di una vacanza: vogliamo passare le giornate _____(5) spiaggia a scherzare!

Ora preparo le mie cose. Ester dice che fa molto caldo, ma che dobbiamo portare anche una giacca perché _____(6) Ferragosto andiamo _____(7) suoi genitori: loro vivono vicino _____(8) deserto e la sera fa freddo.

Granada e il deserto di Tabernas

4 Completate la conversazione con la forma giusta dei verbi tra parentesi.

Gita nel fine settimana
Marco, Lucia, Tu

Marco
Questo fine settimana sono libero. _____ (1. potere fare) una gita insieme!

Sì, perché no? Dove?

Lucia
Sìì!!! 😍 😍 Io _____ (2. volere andare) in montagna!
_____ (3. potere comprare) i panini e fare una passeggiata.

Ma no, scusa, se c'è il sole, _____ (4. potere andare) al mare e mangiare il pesce! _____ (5. dovere fare) qualcosa di diverso!

Marco
Ma perché _____ (6. dovere litigare) sempre voi due?! Decido io! Andiamo a Genova perché _____ (7. volere visitare) il Museo d'Arte Orientale! Poi _____ (8. potere mangiare) la pasta al pesto, il piatto tipico della regione!

Al lavoro! Previsioni del tempo in TV

Lavorate a gruppi di due o tre.

1. Scegliete tra Nord, Sud e Centro Italia e disegnate una cartina della zona. Scrivete le città più importanti. Potete cercare su internet o guardare la cartina a pag. 17.

2. Poi controllate le previsioni del tempo per il fine settimana (potete usare l'applicazione del vostro smartphone o cercare su www.ilmeteo.it) e disegnate i simboli (pioggia, sole ecc.) vicino alle città.

3. Attaccate le cartine al muro e cominciate: salutate gentilmente il pubblico a casa e, se volete, date qualche consiglio per la gita della domenica!

In questa unità impariamo a:

▶ parlare di stili
▶ fare acquisti in un negozio di abbigliamento e in un negozio di scarpe
▶ descrivere un capo di abbigliamento
▶ chiedere ed esprimere un parere
▶ parlare delle abitudini quotidiane

Pronti?

 1 In coppia cerchiate le altre 7 parole relative allo shopping incontrate nelle unità precedenti, come nell'esempio in *blu*.

C	I	S	C	A	R	P	E
O	T	E	O	P	G	V	U
M	A	Q	E	A	O	E	L
M	E	P	O	G	N	S	B
E	L	E	G	A	N	T	E
S	U	R	A	R	A	I	R
S	T	I	L	E	O	T	I
A	T	R	O	S	F	O	G
N	E	G	O	Z	I	O	E

2 *Abbinate gli stili di abbigliamento alle immagini.*

☐ casual   ☐ classico   ☐ sportivo

a

b

c

Qual è il vostro stile?   Mi piace vestire in modo...

3 *Guardate le immagini a pag. 112 e fate delle ipotesi:*

a. *che cosa vogliono comprare Anna e Carla?*
b. *ad un certo punto c'è un piccolo problema, quale?*

Adesso fate l'attività A1.

Anna: Dai, non così presto! Mi sveglio alle 7 ogni giorno! Facciamo alle 10? Così dormo un po' di più e mi preparo con calma... ok? Grazie, a domani.

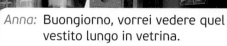

Anna: Buongiorno, vorrei vedere quel vestito lungo in vetrina.
commessa: Certo, che taglia porta?
Anna: La 42.
commessa: Un attimo, vedo se c'è.

Carla: ...cioè secondo te, Ferrara ha intenzione di lasciare Alice?
Anna: Così sembra... e lei non risponde al telefono! Ho un cattivo presentimento...

commessa: Ecco, è l'ultimo in nero. C'è anche in bianco, se vuole.
Anna: Preferisco provare quello nero.
commessa: Il camerino è in fondo a destra.

Anna: Ti piace?
Carla: Bellissimo, Anna. Molto elegante!
commessa: Sì, molto bello!
Anna: Quanto viene?
commessa: Costa 70 euro, c'è il 10% di sconto.
Anna: Bene! Posso pagare con la carta di credito?

commessa: Certo... Prego, il suo pin.
Anna: Oh Dio, non mi ricordo il pin della nuova carta! E non ho abbastanza contanti, non è possibile! Chiedo scusa, magari ripasso...
Carla: Ma che dici?! È l'ultimo in nero! Pago io.
Anna: Davvero? Grazie mille, Carla, sei un tesoro!

Carla: Ma che, scherzi? Ecco a Lei!
Anna: Grazie mille!
Ciao, amore! Bene... Le scarpe? Un vestito nero e lungo! Certo. Fra mezz'ora? Anche Carla vuole vedere Gianni! A dopo!

A) Che taglia porta?

1 Ascoltate il dialogo o guardate il video e rispondete alle domande, oralmente o per iscritto.

a. A che ora si sveglia Anna ogni giorno?
b. Com'è il vestito che vuole vedere?
c. Perché Anna ha un cattivo presentimento?
d. Quanto costa il vestito?
e. Che problema ha Anna? Che cosa non ricorda?
f. Chi risolve il problema e come?

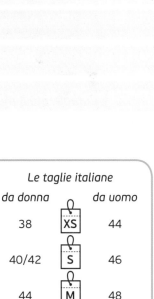

2 Adesso leggete il dialogo e controllate le vostre risposte.

3 Lavorate a coppie. Immaginate che cosa dice Bruno ad Anna al telefono. Poi confrontatevi con le altre coppie, recitando la vostra "telefonata"!

4 Lavorate ancora a coppie. Trovate nel dialogo le espressioni usate per:

chiedere di vedere/provare qualcosa

chiedere/dire la taglia

parlare del colore

descrivere un vestito

chiedere/dire il prezzo

5 Lavorate a coppie. A legge le istruzioni sotto e B va a pag. 150.
A: sei il/la cliente, entri in un negozio e chiedi di provare alcuni dei seguenti capi di abbigliamento. Vuoi sapere in quali colori sono disponibili, il prezzo ecc. Alla fine decidi che cosa comprare, paghi e saluti.

Le taglie italiane		
da donna		da uomo
38	XS	44
40/42	S	46
44	M	48
46	L	50
48	XL	52

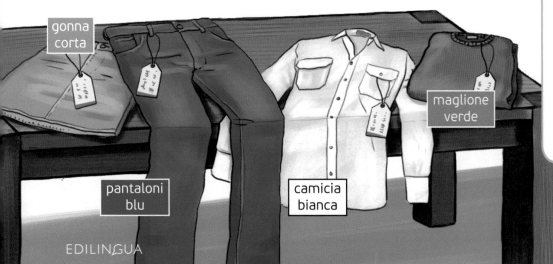

gonna corta

pantaloni blu

camicia bianca

maglione verde

es. 1-2
p. 207

B) Mi sveglio alle 7

1 *Osservate: "Mi sveglio alle 7 ogni giorno", "...e mi preparo con calma". Le forme in blu sono verbi riflessivi. Abbinate le frasi alle immagini.*

☐ Mario alza la mano.
☐ Mario si alza presto.

2 *Completate le frasi con i pronomi ti, mi, vi.*

I verbi riflessivi

1. Io non _____ pettino mai!

2. Quando _____ fai la barba?

3. Fabiana si fa la doccia.

4. Ci laviamo sempre i denti.

5. Voi _____ vestite bene!

6. Le donne si truccano.

3 *Completate il messaggio di Anna con i verbi dati, come nell'esempio in blu.*

mi preparo ◆ ti senti ◆ mi faccio ◆ ti fai
ti alzi ◆ ti riposi ◆ ti prepari ◆ mi sveglio

Sei fortunata, sai! _____(1) tardi perché i tuoi corsi cominciano alle 12. Quindi, _____(2) la doccia e _____(3) con calma. Quando hai poche ore di lezione, *ti riposi* un po' il pomeriggio. Io, invece, _____(4) molto presto e _____(5) subito la doccia. Ho pochi minuti per vestirmi, così _____(6) in fretta! Poi lavoro fino a tardi, tutto il giorno in piedi! E ora sei tu che non puoi uscire perché _____(7) stanca? Dai, Carla!

4 *Lavorate a coppie. A sceglie tre azioni quotidiane (ad esempio, alzarsi alle 8) e le mima a B.*

Per ogni azione che B descrive correttamente ("Ti alzi alle 8"), la coppia vince 1 punto.

Poi i ruoli cambiano. Vediamo quale coppia fa più punti!

5 *Raccontate come inizia la vostra giornata.*

es. 3-4
p. 207

Guardate le immagini a destra e descrivete cosa succede. Poi fate l'attività C1.

Torniamo alla storia

C) È di moda!

1 Leggete il dialogo e inserite le seguenti espressioni al posto giusto.

a CHE NUMERO PORTA?   **b** C'È UNO SCONTO?   **c** È MOLTO DI MODA.   **d** DI CHE COLORE SONO?

 2 Adesso ascoltate il dialogo o guardate l'animazione e controllate le vostre risposte.
Poi chiudete il libro e tutti insieme riassumete oralmente il dialogo nel modo seguente:
uno studente comincia con una sola frase, poi continua un altro studente e così via.

3 Inserite le espressioni dell'attività C1 nella borsa giusta.

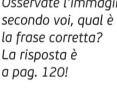

Parlare del colore	Parlare del prezzo	Parlare di numeri e taglie	Chiedere/Esprimere un parere
C'è anche in bianco?	Quanto viene/costa?	Che taglia ha/porta?	Ti piace? / Com'è?
Preferisco quello nero...	Quant'è?	La 46. / La L (elle).	È molto elegante!
			Bellissimo!
	C'è il 10% di sconto.	Il 42.	

4 In coppia scrivete un mini dialogo usando almeno due espressioni dell'attività C3.

AB **5** Un regalo per Laura. Lavorate in coppia. A va a pag. 146 e B a pag. 150.

6 Osservate l'immagine a destra:
secondo voi, qual è
la frase corretta?
La risposta è
a pag. 120!

...PERCHÉ DEVI NASCONDERTI?

...PERCHÉ TI DEVI NASCONDERE?

es. 5-9
p. 208

D) Sono in offerta

 1 Ascoltate i tre mini dialoghi
e indicate con una ✗ i colori
che sentite.

2 *Ascoltate di nuovo e indicate l'affermazione corretta.*

1. Le due amiche vogliono vedere: a. un giubbotto di pelle   b. un piumino giallo   c. i guanti neri
2. L'uomo sceglie una cravatta: a. a righe   b. blu scuro   c. azzurra
3. L'ultima cliente spende: a. 50 euro   b. 38 euro   c. 40 euro

3 *Abbinate le parole date alle immagini, come nell'esempio in blu.*

a. borsa   b. cravatta   c. giubbotto   d. stivali   e. cintura   f. piumino   g. sciarpa

UNITED COLORS
OF BENETTON.

abito da uomo

tuta da ginnastica · maglione

cappotto da donna

felpa

guanti

4 *In coppia osservate la vetrina per 30 secondi. Poi B chiude il libro e A fa tre domande (ad esempio, "Di che colore è il maglione? Che cos'è di colore rosso? Dov'è il maglione?"). Ogni risposta corretta vale 1 punto. Poi i ruoli cambiano. Vediamo chi fa più punti!*

5 *In coppia immaginate il dialogo tra il commesso di un negozio e un cliente che vuole vestirsi come **a**, **b** o **c** e chiede di provare i vari capi di abbigliamento, accessori ecc. Vediamo alla fine che cosa compra!*

es. 10-12
p. 210

E) Che consumatore sei?

 1 Ascoltate le risposte ad alcune brevi interviste sull'abbigliamento e, in coppia, cercate di immaginare le domande.

 2 Ora ascoltate le interviste complete e fate le stesse domande a un compagno. Poi i ruoli cambiano. Alla fine ognuno riferisce alla classe le risposte del compagno.

 3 Un'amica su Facebook commenta un tuo album di foto. Rispondi per ringraziare e parlare di abbigliamento (quanto è importante per te, i tuoi stili e negozi preferiti ecc.). Infine, fai un commento sul suo stile.

60-70

Anna Monti Che belle foto! Mi piace molto come ti vesti!

Mi piace · Rispondi · 👍 1
lunedì alle ore 11:41

4 Che consumatori siete? Quanto è importante per voi l'abbigliamento e lo shopping? Fate il test.

1. In un negozio di abbigliamento rimani
   a. più di un'ora
   b. circa mezz'ora
   c. il meno possibile

2. Sono importanti per te i capi firmati*?
   a. Molto
   b. Non molto
   c. No, per niente

3. Vai a fare shopping
   a. 2-3 volte al mese
   b. una volta al mese
   c. 1-2 volte all'anno

4. Compri cose non veramente necessarie?
   a. Sì, spesso
   b. Alcune volte
   c. No, mai

5. I saldi* sono
   a. il periodo più bello
   b. un modo per risparmiare
   c. una volta all'anno?

6. Leggi riviste di moda?
   a. Certo, ogni settimana!
   b. Qualche volta
   c. Ci sono riviste di moda?!

*firmati: di marchi e stilisti conosciuti | *saldi: periodo di offerte e di sconti

*Calcolate 3 punti per le risposte in blu, 2 per quelle in rosso e 1 per quelle in verde.
Leggete il vostro profilo: siete d'accordo con i risultati?*

14-18 punti: Vivi per fare spese! Ma c'è anche altro nella vita... Perché non provi a fare qualcosa di più creativo ogni tanto?

10-13 punti: Sei un consumatore maturo, sai quello che vuoi. Ti piace fare spese, ma senza esagerare.

6-9 punti: Sicuramente per te fare acquisti non è molto importante. Questo non è un problema, ma portare sempre le stesse cose per 10 anni non è il massimo...

es. 13-14
p. 211

Test

Italia&italiani

La moda italiana

La moda italiana è conosciuta e apprezzata per il suo stile e la sua eleganza.

Infatti, turisti da tutto il mondo, tra una visita a un museo e a un monumento, amano fare spese o semplicemente passeggiare tra le vie più chic del Belpaese.

Gli italiani amano vestirsi bene, anche senza spendere molto: oltre ai capi firmati dai grandi stilisti, ci sono tanti marchi di qualità meno costosi. Inoltre, negli outlet e online, è possibile trovare anche grandi firme a prezzi bassi.

Se volete vedere i più bei negozi di moda italiana, andate in Via Montenapoleone a Milano e in Via Condotti a Roma!

La moda italiana è un vero e proprio fenomeno culturale e sociale. Le città della moda ospitano ogni anno importanti sfilate, come "Pitti Immagine Uomo" a Palazzo Pitti a Firenze e "Milano Moda Donna", organizzata a Milano durante la Settimana della Moda.

Sapete che...?

Alcune case di moda hanno anche linee più casual ed economiche, come Emporio Armani e Just Cavalli.

Ci sono negozi Emporio Armani in tutto il mondo. Inoltre, a Milano potete visitare il museo Armani/ Silos e fare una pausa all'Emporio Armani Caffè!

1-2
p. 212

Gli italiani hanno anche una grande passione per scarpe, occhiali e accessori di pelle (borse, cinture ecc.). Ecco alcuni dei marchi italiani più venduti nel mondo:

PRADA   TOD'S   VALENTINO

MOSCHINO   GUCCI   VERSACE

DOLCE & GABBANA   FURLA   **DIESEL**

COMUNICAZIONE

Chiedere di vedere/provare qualcosa

- Buongiorno, vorrei vedere quel vestito lungo in vetrina.
- Possiamo dare un'occhiata?
- Scusi, posso provare queste scarpe?
- Vorrei vedere una cravatta.
- Voglio fare un regalo a un'amica, c'è qualcosa di elegante, ma non molto costoso?

Rispondere

- Certo.
- Prego.
- Un attimo, vedo se c'è.
- Il camerino è in fondo a destra.

Chiedere la taglia o il numero di scarpe

- Che taglia porta/ha?
- Che numero porta?

Dire la taglia o il numero di scarpe

- La 42. / C'è la Esse?
- (Il) 44.

Parlare del colore

- È l'ultimo in nero.
- C'è anche in bianco, se vuole.
- Di che colore sono le scarpe?

- C'è anche in bianco?
- Preferisco (provare) quello nero.
- Marrone.

Chiedere un parere

- Ti piace? / Ti piacciono?
- Com'è? / Come sono?

Esprimere un parere

- Bellissimo/a/i/e! / Molto bello/a/i/e!
- Molto elegante/i.
- Questo modello è molto di moda.
- A me non piace/piacciono molto.
- Non è/sono male.

Chiedere il prezzo / Parlare del prezzo

- Quanto costa/viene? / Quant'è?
- Quanto costano/vengono? / Quant'è?

- Qualcosa di più economico?

- C'è uno sconto?

- Che sconto ha?

- Posso pagare con la carta di credito?

Dire il prezzo / Parlare del prezzo

- Costa/Viene 70 euro. / 70 euro.
- Costano/Vengono 99 euro. / 99 euro.

- Abbiamo tute da ginnastica in saldo / in offerta.
- No, mi dispiace.

- No, mi dispiace.
- C'è il 10% di sconto.

- C'è il 10% di sconto. / Del 30%.

- Certo... Prego, il suo pin.

GRAMMATICA

I verbi riflessivi

	lavarsi	mettersi	vestirsi	farsi la doccia
io	mi lavo	mi metto	mi vesto	mi faccio
tu	ti lavi	ti metti	ti vesti	ti fai
lui, lei, Lei	si lava	si mette	si veste	si fa
noi	ci laviamo	ci mettiamo	ci vestiamo	ci facciamo	la doccia
voi	vi lavate	vi mettete	vi vestite	vi fate
loro	si lavano	si mettono	si vestono	si fanno

I verbi riflessivi con **potere**, **volere** e **dovere**

Perché ti devi nascondere?		Perché devi nasconderti?
Non mi posso truccare.	=	Non posso truccarmi.
Ci vogliamo svegliare tardi.		Vogliamo svegliarci tardi.

In questa unità impariamo a:

- parlare dei mezzi di trasporto urbano
- esprimere sorpresa
- parlare di avvenimenti passati
- situare un avvenimento nel tempo
- localizzare in uno spazio cittadino

In giro per la città

Unità **11**

Pronti?

1 *Completate il cruciverba.*

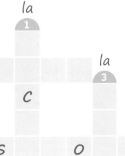

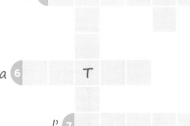

la **1**

la **2** C

la **3** C

il **4**

lo **5** S O

la **6** T

l' **7** S

2 *Come sono questi mezzi? In coppia, indicate con ★ poco, ★★ abbastanza, ★★★ molto le caratteristiche di ognuno. Poi confrontate le vostre risposte con quelle delle altre coppie.*

mezzo	ecologico	veloce	economico	sicuro
1				
2				
3				
4				
5				
6				
7				

Ricordate?
la moto → le moto

3 *Quale mezzo di trasporto usate più spesso e perché? Poi fate l'attività A1.*

A) Una giornataccia!

 1 A libri chiusi ascoltate il dialogo. Poi mettete in ordine le vignette come negli esempi in blu.

 2 Riascoltate il dialogo e verificate le vostre ipotesi. Cos'è successo a Gianni?

3 Adesso ascoltate... tutto il dialogo o guardate l'animazione e indicate se le affermazioni sono vere o false.

Sto in piedi.

Vado a piedi.

	V	F
1. Gianni ha sbattuto con la bici contro una Ferrari.	○	○
2. Dopo l'incidente, Gianni ha parlato con Ferrara.	○	○
3. Poi è andato via a piedi.	○	○
4. Gianni è scappato perché quella macchina costa tanto.	○	○
5. All'inizio, Anna non crede alla storia di Gianni.	○	○
6. Alla fine, Gianni dice che è stato tutto un sogno.	○	○

 4 Ascoltate di nuovo e scrivete cosa dice Anna per esprimere sorpresa. Notate l'intonazione di Anna.

Esprimere sorpresa

_____ _____

_____ _____

Davvero?! No! / Ma dai!

Veramente?! Incredibile!

 5 A informa B su uno di questi eventi come nell'esempio. B risponde con una delle espressioni dell'attività A4. Poi i ruoli cambiano.

Sai, a settembre c'è...

settembre, esserci, concerto di...

Giorgia, aspettare, 4° figlio maschio

passare, Capodanno, Parigi

fuori nevicare

mamma, preparare, fettuccine ai funghi

Chiara, avere 42 anni

es. 1-2
p. 213

B) Ho avuto un incidente

1 *Le frasi sotto sono al passato prossimo: secondo voi, quando usiamo questo tempo?*
Abbinate i participi passati *agli infiniti, come nell'esempio in* rosso.

Ho *avuto* un incidente con la bici!

Sai contro quale macchina ho *sbattuto*?

Veramente non ho *capito*...

parlare
andare
avere
sbattere
salire
capire

Non *avete parlato*?

E *sono salito* sul primo autobus.

Sono andato via.

2 *Come formiamo il passato prossimo? Osservate le frasi dell'attività B1 e completate la tabella.*

Passato prossimo

presente di _____ o *essere*
+
participio passato

andare → andato avere → av____ capire → cap____

→

Gianni *ha parlato*... / Noi *abbiamo parlato*
Anna *ha parlato*... / Loro *hanno parlato*

Gianni *è andato*... / Gianni e Bruno *sono andati*
Anna *è andata*... / Anna e Carla *sono andate*

3 *Osservate le immagini e scrivete delle frasi al passato prossimo. I verbi in* blu *prendono l'ausiliare* avere *e i verbi in* rosso *l'ausiliare* essere. *Poi fate l'attività C1.*

io comprare

Ho comprato una bici.

i Ferrara litigare

_____
_____

Chiara partire

_____
_____

io e Luigi andare in gita

_____
_____

tu e Luca mangiare?

_____
_____

a che ora tu tornare?

_____
_____

es. 3-4
p. 214

Carla: Scusa, siamo arrivati in anticipo.

Anna: Non fa niente, entrate! Sono tornata poco fa, non ho ancora sistemato la spesa.

Gianni: Ma quante cose hai comprato? È già Natale?

Anna: Eheh... è vero, forse ho esagerato un po'. Prima sono andata dal fruttivendolo, poi in farmacia, in libreria, al supermercato...

Bruno: E questo?

Anna: Ah sì, ho comprato anche un vestito dal nuovo negozio *Benetton* in Via Belli.

Carla: Quello vicino alla piazza?

Anna: No, ti ricordi la libreria dove hai ordinato i libri per i tuoi studenti, di fronte alla chiesa? Ecco, è proprio accanto!

Carla: Insomma, hai camminato un bel po'! E con tutte queste borse?

Anna: No, no: prima ho lasciato la macchina al parcheggio del supermercato, sono andata a piedi nei vari negozi e poi sono tornata a lasciare le borse in macchina. Ah, ho dimenticato la cosa più importante: alla fine sono passata anche dalla pasticceria!

Gianni: A proposito, siamo qui da mezz'ora e neanche un dolce, un aperitivo!

Anna: Ma quale mezz'ora... siete appena arrivati! Un attimo!

Bruno: Tranquilla! Faccio io, amore.

Bruno: Allora, come sta la tua amica dopo la... "minaccia" del marito?

Anna: Ragazzi, voi scherzate, ma io non vedo Alice dall'inizio della settimana scorsa... Non risponde al telefono e nessuno sa dov'è! È proprio sparita!

125

C In giro per i negozi!

1 Ascoltate il dialogo o guardate il video
e completate il riassunto.

Quando i ragazzi arrivano, Anna non ha ancora sistemato la

_____(1). È andata prima _____(2) fruttivendolo, poi in

farmacia, in libreria e poi al supermercato. Inoltre, ha _____(3)

un vestito da *Benetton*. Ha lasciato la _____(4) al parcheggio

del supermercato e poi è _____(5) a piedi nei vari negozi.

Alla fine è _____(6) anche dalla pasticceria. Anna non

_____(7) Alice da circa dieci giorni: è proprio _____(8)!

2 Leggete (o recitate insieme a tre compagni) il dialogo e controllate le vostre risposte.

3 Osservate le immagini e raccontate tre cose che ha fatto ieri Gianni. I verbi in blu prendono
l'ausiliare *avere* e quelli in rosso l'ausiliare *essere*. Usate alcune delle seguenti parole.

poi ◆ prima ◆ alla fine ◆ più tardi ◆ dopo ◆ nel pomeriggio ◆ ieri

1. dormire
fino a tardi

2. andare al bar

3. comprare il giornale

4. tornare a casa

5. pranzare
con i genitori

6. guardare la tv

7. uscire

8. incontrare Bruno

4 Completate le frasi con le espressioni evidenziate in blu nel dialogo a pag. 125.

1. • Hai sentito Alice in questi giorni? • No, ma siamo uscite insieme la _____.

2. • Scusa, ma oggi non posso proprio... • _____, usciamo domani!

3. • Ragazzi, volete un caffè? • _____, dov'è la moka?

4. Ha chiamato Paolo _____. Ha lasciato un messaggio.

es. 5-6
p. 214

D) Hai o sei?

1 Osservate le frasi e, in coppia, completate la tabella con l'ausiliare giusto (essere o avere) e i verbi all'infinito.

ho avuto un incidente / non ho capito / quante cose hai comprato?
ho lasciato la macchina / ho dimenticato la cosa più importante

sono entrato nella metro / sono tornato a casa / sono salito sul primo autobus
siamo arrivati in anticipo / sono andata dal fruttivendolo

Essere o Avere?

ausiliare _____	» i **verbi transitivi** (che hanno un oggetto diretto e rispondono alla domanda "chi?" / "che cosa?"): lasciare, _____ _____ ecc.
	» alcuni **verbi intransitivi**: dormire, camminare, lavorare, ridere ecc.
ausiliare _____	» molti **verbi di movimento**: _____ _____, venire, uscire, partire, scendere ecc.
	» alcuni **verbi intransitivi**: diventare, nascere, morire, crescere, stare, essere, piacere ecc.

2 Abbinate le immagini ai verbi dati sotto. Poi scegliete il soggetto (io, Anna, noi ecc.) e scrivete delle frasi al passato prossimo.

studiare ◯
tornare ◯
partire ◯
mangiare ◯
visitare ◯
entrare ◯

1 il museo
2 al ristorante
3 per Venezia
4 in libreria
5 in biblioteca
6 a casa

3 Intervistate 3-4 compagni per trovare qualcuno che ha fatto almeno due azioni dell'attività D2. Poi raccontate alla classe cosa ha fatto questa persona e quando (*qualche giorno fa, la settimana scorsa, un mese fa* ecc.).

es. 7-10
p. 215

E) Dove si trova?

 1 Osservate la cartina. Poi ascoltate i mini dialoghi e indicate con una ✗ i luoghi che sentite.

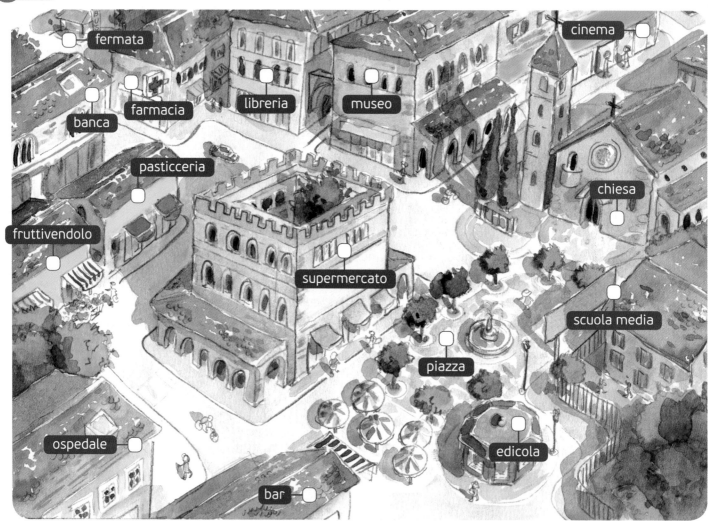

 2 **Due verità e una bugia!** Lavorate in coppia: A va a pag. 147 e B a pag. 151.

 3 Fate dei mini dialoghi simili a quelli dell'attività E1 (se necessario, riascoltate la traccia 33): scegliete un luogo e chiedete al vostro compagno dov'è. Poi i ruoli cambiano. Potete usare anche le espressioni a destra.

> alla fine della strada
> sulla destra
> sulla sinistra
> a/dopo 200 metri
> accanto (a)
> dietro
> di fronte (a)

 4 Sei in vacanza in una città italiana e scrivi ai tuoi amici per raccontare quello che hai fatto nei giorni scorsi.

es. 11-14
p. 216

Italia&italiani

Roma: la capitale d'Italia

Roma è una città ricca di monumenti, musei, chiese, teatri, piazze e palazzi molto belli.

Il monumento più famoso è il **Colosseo**, un grande anfiteatro costruito circa 2.000 anni fa, che è anche il simbolo dell'Italia.

Di fronte si trovano il **Foro Romano** e i **Fori Imperiali**, una serie di piazze e monumenti dell'antica Roma.

es. 1-3
p. 218

Piazza di Spagna è famosa per la sua scalinata che parte dalla chiesa della Trinità dei Monti e arriva fino alla Fontana della Barcaccia.

La **Fontana di Trevi** è diventata il simbolo della nuova Roma nel 1960 con il film *La dolce vita* di Federico Fellini.

Curiosità

Se volete tornare a Roma, lanciate una moneta nella fontana!

Piazza Navona è una delle piazze principali del centro storico di Roma.
È conosciuta per la Fontana dei Quattro Fiumi del Bernini.

COMUNICAZIONE

Esprimere sorpresa

Caspita! Ma sei matto?! Ma va! Sul serio?!	Davvero?! Veramente?! No! / Ma dai! Incredibile!

Situare un avvenimento nel tempo

Prima ho lasciato la macchina al parcheggio, sono andata a piedi nei vari negozi e poi sono tornata a lasciare le borse in macchina. Alla fine sono passata anche dalla pasticceria!

Ieri Gianni ha dormito fino a tardi. Prima è andato a fare colazione al bar, poi ha comprato il giornale ed è tornato a casa. Ha pranzato con i genitori.
Nel pomeriggio ha guardato la tv e più tardi è uscito di casa. Alla fine ha incontrato Bruno.
Qualche giorno fa / La settimana scorsa / Un mese fa ho visitato un museo.

Localizzare in uno spazio cittadino

La farmacia è alla fine di questa strada, di fronte alla banca.
La banca è a 300-400 metri da qui, sulla sinistra / sulla destra c'è un grande supermercato.
Un po' più avanti / Dopo 200 metri, c'è la Banca del Lavoro e di fronte c'è una farmacia.
Sulla stessa piazza c'è una piccola chiesa.
La chiesa è accanto alla scuola.
Dietro la chiesa hanno costruito il nuovo cinema *Ariston*.

GRAMMATICA

Participio passato dei verbi regolari

parlare	**avere**	**capire**
parlato	avuto	capito

Passato prossimo
(presente indicativo di **essere** o **avere** + participio passato)

	andare	**avere**	**capire**
io	sono andato/a	ho avuto	ho capito
tu	sei andato/a	hai avuto	hai capito
lui, lei, Lei	è andato/a	ha avuto	ha capito
noi	siamo andati/e	abbiamo avuto	abbiamo capito
voi	siete andati/e	avete avuto	avete capito
loro	sono andati/e	hanno avuto	hanno capito

Passato prossimo: ausiliare **essere** o **avere**?

AVERE +	**tutti i verbi transitivi:** *avere, capire, comprare, dimenticare, lasciare* ecc. **alcuni verbi intransitivi:** *camminare, dormire, lavorare, ridere* ecc.
ESSERE +	**molti verbi di movimento:** *andare, arrivare, entrare, partire, salire, scendere, tornare, uscire, venire* ecc. **alcuni verbi intransitivi:** *crescere, diventare, essere, morire, nascere, piacere, stare* ecc.

In questa unità impariamo a:

- parlare di sport
- esprimere accordo, disaccordo e contraddire
- raccontare al passato
- chiedere ed esprimere una data (II)

Dopo la partita...

Pronti?

1 *In coppia, completate con* giocare, fare, andare, camminare *e poi discutete: secondo voi, ci sono attività che praticano di più gli uomini o di più le donne?*

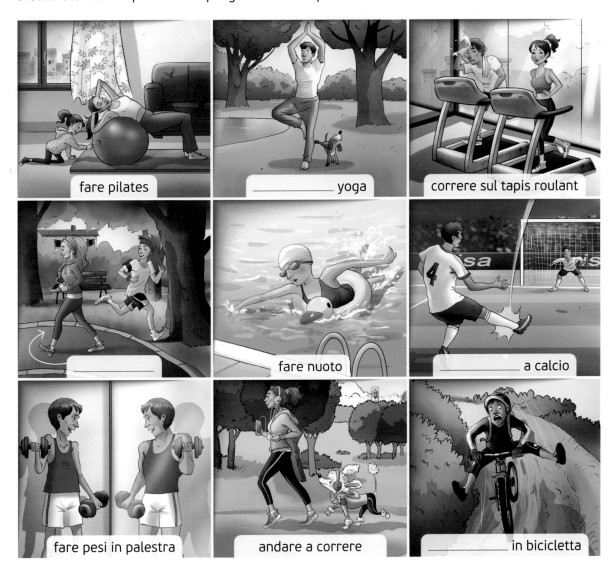

fare pilates

_____ yoga

correre sul tapis roulant

_____

fare nuoto

_____ a calcio

fare pesi in palestra

andare a correre

_____ in bicicletta

2 *Quali di questi sport o attività praticate e quanto spesso? Quale vi piace di più? Parlatene con i compagni.*

3 *Ascoltate alcune battute del dialogo: attenzione, abbiamo eliminato un'informazione importante. Secondo voi, cosa vuole fare Anna? Poi fate l'attività A1.*

EDILINGUA

Anna: Non male per un'insegnante d'italiano!

Carla: Tu, invece, per una che si chiama Ferrari, sei un po' lenta!

istruttrice: Brave, ragazze! E adesso, un po' di pesi?

Anna: No, io pilates, lei yoga. Senti, Elena, hai visto Alice ultimamente?

istruttrice: Alice? No, è tanto che non viene! Il marito dice che è partita...

Anna: Il marito?! Come...?!

istruttrice: Sì, è amico del proprietario. Dice che hanno litigato e così lei ha deciso di fare un viaggio per stare un po' lontana da lui... e ci credo! Non mi piace per niente lui!

Anna: Ma va...! Quello non piace a nessuno! Comunque, se sai qualcosa...

istruttrice: Certo! E ora su, torniamo all'allenamento!

Più tardi...

Anna: Senti, dobbiamo andare alla polizia!

Carla: Cosa? Alla polizia?! No, no... non è una buona idea. E poi non sappiamo che cosa è successo, cosa raccontiamo?

Anna: Quello che sappiamo: che dopo la lite con il marito nessuno ha più visto Alice, che lei non risponde al telefono...

Carla: Vuoi denunciare la sua scomparsa?! No, Anna, meglio di no! Proprio tu hai detto che Ferrara è pericoloso...

Anna: Giusto! E proprio per questo dobbiamo fare qualcosa. Allora, ci vado da sola o vieni con me?

Carla: E va bene! Però dobbiamo convincere anche Bruno e Gianni. Oggi stesso.

Anna: Sono d'accordo! Ahia, sai cosa c'è oggi?

Carla e Anna: ...La partita!

A) Dobbiamo fare qualcosa

1 *Ascoltate tutto il dialogo o guardate il video e indicate l'affermazione giusta.*

1. Elena, l'istruttrice della palestra,
   a. non ricorda chi è Alice
   b. non vede Alice da tempo
   c. ha visto Alice qualche giorno fa

2. Elena ha sentito dire che
   a. Alice ha litigato con suo marito
   b. il marito di Alice è partito
   c. Alice è partita con il marito

3. Anna vuole andare alla polizia
   a. e Carla è subito d'accordo
   b. ma Carla non è molto d'accordo
   c. ma Carla è del tutto contraria

4. Alla fine decidono di
   a. non andare alla polizia
   b. andare insieme ai ragazzi
   c. mandare i ragazzi da soli

2 *Riascoltate e leggete il dialogo (anche con un compagno, se volete) e controllate le vostre risposte.*

3 *Trovate le battute nel dialogo e indicate il significato (a o b) delle espressioni in* blu.

...lei ha deciso di fare un viaggio per stare un po' lontana da lui... e ci credo!

a. capisco la decisione di Alice
b. chissà se è partita

Ora su, torniamo all'allenamento!
a. al primo piano
b. andiamo!

Non mi piace per niente lui!

Ma va...!
a. Infatti!
b. Non è vero!

4 *Inserite nelle tabelle le espressioni evidenziate in* blu *nel dialogo. Ricordate altre espressioni simili?*

Esprimere accordo	Esprimere disaccordo e contraddire
Va bene! Infatti!	Invece...

5 *Ascoltate i mini dialoghi e completate le tabelle sopra con altre espressioni.*

6 *Lavorate a coppie.* A *va a pag. 147 e* B *a pag. 151.*

es. 1-5
p. 219

B) Hai visto Alice?

1) *Osservate le frasi a destra.*
Poi completate la tabella.

...hai *visto* Alice?   ...che cosa è *successo*...

...tu hai *detto*...

Participi passati irregolari (I)

_____	detto	**discutere**	discusso
fare	fatto	**mettere**	messo
scrivere	scritto	**succedere**	_____
_____	chiesto	_____	aperto
rispondere	risposto	**offrire**	offerto
vedere	_____	**scoprire**	scoperto

2) *Completate il testo con il passato prossimo dei verbi dati. Poi fate l'attività C1.*

Walk of Fame

es. 6-7
p. 220

Se amate lo sport, fate un giro a Roma, nella "Walk of Fame" degli sportivi azzurri: una via con 100 mattonelle che ricordano 100 atleti che _____ (1. fare) la storia dello sport italiano. Il giornalista Valerio Piccioni della *Gazzetta dello Sport* _____ (2. chiedere) al presidente del CONI* come hanno scelto questi 100 nomi. Lui _____ (3. rispondere): "Sulla Walk of Fame abbiamo messo solo atleti con una medaglia olimpica e che ora non sono più in attività. Naturalmente pensiamo di aggiungere altre mattonelle!".

Il giorno dell'inaugurazione l'ex campione di sci Alberto Tomba _____ (4. dire): "_____ (5. vedere) una lista di nomi importanti. Un ricordo va a chi non c'è più e che _____ (6. offrire) tanto allo sport italiano".

*Comitato Olimpico Nazionale Italiano

adattato da *www.repubblica.it*

C) Andiamo alla polizia!

1 Ascoltate il dialogo e sottolineate il *soggetto* delle frasi.

1. Spegne la tv: Gianni/Bruno/Anna
2. Dice di aspettare: Bruno/Carla/Anna
3. Accetta di andare alla polizia: Carla/il commissario/Gianni
4. Non è ancora finita: Anna/Gianni/la partita
5. Spiega la situazione al commissario: Bruno/Anna/Gianni
6. Ha litigato con Ferrara: Carla/Alice/Gianni
7. Non ha denunciato la scomparsa di Alice: Ferrara/Anna/Carla
8. Telefona al museo: Gianni/il commissario/Anna

2 Leggete il dialogo o guardate l'animazione e controllate le vostre risposte.
Poi fate un riassunto orale usando il passato prossimo.

3 Osservate le parole e le espressioni evidenziate in blu nel dialogo e completate le frasi.
Attenzione: c'è una frase in meno.

- Chi vince il terzo set?
- L'Italia 14 _____ 11.

- La carbonara mi piace molto!
- A me, _____, non piace per niente!

- Con Marco è finita!
- _____? Non state più insieme?

- Perché sei così triste?
- _____ si ricorda mai del mio compleanno!

es. 8
p. 221

D) Già deciso!

1 Osservate le parole in blu a destra.
Poi in coppia scrivete sei frasi al
passato prossimo con tutti gli elementi dati.

Abbiamo già deciso!

...non ha ancora denunciato la scomparsa...

scrivere / dire	appena / già	l'ultimo film di Tarantino
offrire / uscire	sempre / mai	un messaggio a Luca / la verità
vedere / discutere	ancora / più	il caffè alla professoressa
		da scuola / con il direttore

2 Leggete le frasi e poi completate la tabella.

Abbiamo preso una decisione. / Perché hai spento la tv?
Abbiamo già deciso. / In che senso è scomparsa?

Participi passati irregolari (II)

chiudere	chiuso	perdere	perso
decidere	_____	scomparire	_____
prendere	_____	correre	corso
spegnere	_____	essere	stato
vincere	vinto	venire	venuto

Altri participi irregolari a pag. 237.

es. 9-13
p. 221

E Campioni e sportivi

AB **1** *In coppia: A rimane su questa pagina e B va a pag. 151.*

Sei A: chiedi a B informazioni sul campione italiano che ha scelto: nome, data di nascita, sport, medaglie o titoli vinti, record stabiliti e in che anno.

Poi scegli uno dei campioni presentati sotto e rispondi alle domande di B.

Alla fine vi confrontate con le altre coppie: quale personaggio è più importante, secondo voi?

Nel 2005
Il 6 settembre 2005
Nel settembre del 2005

Deborah Compagnoni
(4/6/1970)

Sci

3 medaglie d'oro nei giochi olimpici

Federica Pellegrini
(5/8/1988)

Nuoto

Medaglia d'oro nei giochi olimpici (2008)

Molti record mondiali

Valentino Rossi
(16/2/1979)

Motociclismo

9 titoli mondiali

Primo titolo a 16 anni!

2 *Intervistate un compagno. Avete un minuto di tempo per sapere:*

) *la sua data di nascita (giorno, mese e anno);*
) *gli sport praticati e seguiti;*
) *i personaggi sportivi preferiti.*

Poi riferite alla classe le informazioni raccolte.

3 Fate il test per scoprire se siete dei veri sportivi.

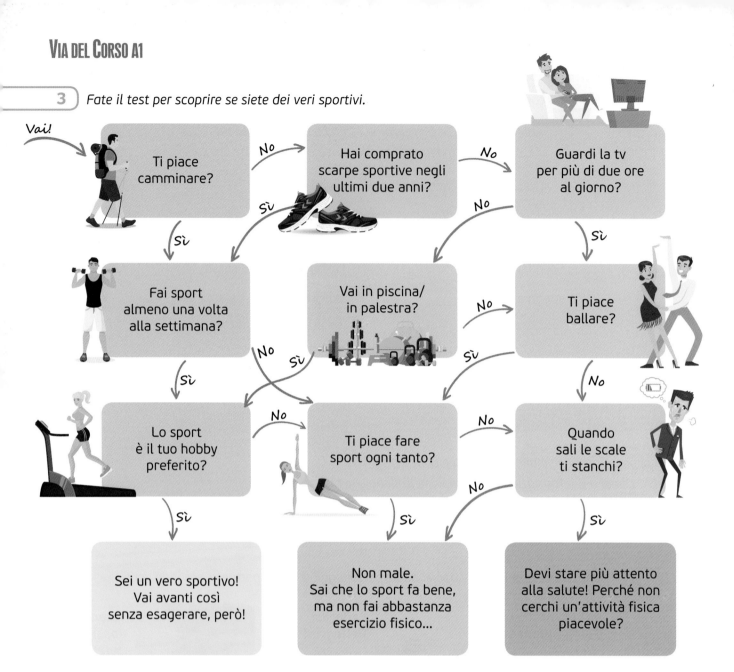

Vai!

Ti piace camminare?

No → Hai comprato scarpe sportive negli ultimi due anni?

No → Guardi la tv per più di due ore al giorno?

Sì / No

Sì ↓ Fai sport almeno una volta alla settimana?

No / Sì Vai in piscina/ in palestra?

No → Ti piace ballare?

Sì ↓ Lo sport è il tuo hobby preferito?

No → Ti piace fare sport ogni tanto?

No → Quando sali le scale ti stanchi?

Sì ↓ Sei un vero sportivo! Vai avanti così senza esagerare, però!

Sì ↓ Non male. Sai che lo sport fa bene, ma non fai abbastanza esercizio fisico...

Sì ↓ Devi stare più attento alla salute! Perché non cerchi un'attività fisica piacevole?

Siete d'accordo con i risultati del test? Motivate la vostra risposta.

4 Facciamo un piccolo ripasso! Giocate a coppie o a piccoli gruppi. L'insegnante sceglie una lettera dell'alfabeto e voi avete un minuto per scrivere una parola che inizia con questa lettera per ognuna delle categorie date. Continuate con un'altra lettera e così via: ogni parola giusta vale 1 punto! Vediamo chi fa più punti!

città/Paese | mezzo di trasporto | oggetto | piatto/cibo | capo di abbigliamento

5 Scegli uno dei seguenti compiti.

60-80

a Cos'è successo nelle ultime unità (7-12)? Fai un riassunto.

b Immagina il finale della storia. Può essere un racconto o un dialogo.

6 Come finisce veramente la storia del libro? Andate a pag. 225 per scoprirlo...

es. 14-18
p. 222

Test

Italia&italiani

Un Paese di sportivi e... di campioni!

IL CALCIO

È lo sport nazionale. E anche se non tutti praticano questo sport, molti amano seguire le partite in tv o allo stadio.

Quando poi gioca la Nazionale, quasi tutti gli italiani seguono la partita, in compagnia, a casa o al bar.

Curiosità

Nel 1911 i calciatori della Nazionale italiana hanno indossato per la prima volta la maglia di colore azzurro. Da allora, l'azzurro è diventato il colore delle maglie di tutte le nazionali italiane e gli atleti si chiamano "gli Azzurri".

Sapete che...?

La Nazionale Italiana Cantanti

È una squadra di calcio formata da famosi cantanti italiani. È nata nel 1981 e gioca per raccogliere soldi per le persone in difficoltà.

LA CORSA

Negli ultimi anni questo sport è sempre più praticato in Italia e sono tante le persone che partecipano alle maratone organizzate in primavera nelle grandi città. Le più famose sono quelle di Roma e Milano, seguono poi quelle di Firenze e Venezia.

- Sempre più grande è il numero delle donne che partecipano: più di 6.000 all'anno!
- Ogni anno, quasi 40.000 italiani concludono una maratona.

IL CICLISMO

È stato lo sport nazionale fino agli anni '70 del secolo scorso. Infatti, sono più di 100 mila i ciclisti che girano per le strade d'Italia.

Sapete che...?

Il Giro d'Italia è la gara più importante. Dal 1909 si svolge ogni anno a maggio per tre settimane. Chi vince il Giro indossa la "maglia rosa" (dal colore delle pagine del quotidiano che organizza la corsa, *La Gazzetta dello Sport*).

es. 1-2
p. 224

COMUNICAZIONE

Esprimere accordo	Esprimere disaccordo e contraddire
Va bene Infatti! Giusto! Sono d'accordo! Vero! / È vero! Hai ragione. È così!	Invece... No, no... non è una buona idea. No, meglio di no! Non è proprio così. Al contrario... Non è vero! Non sono d'accordo!

GRAMMATICA

Alcuni participi passati irregolari

aprire	aperto	perdere	perso
chiedere	chiesto	prendere	preso
chiudere	chiuso	rispondere	risposto
correre	corso	scomparire	scomparso
decidere	deciso	scoprire	scoperto
dire	detto	scrivere	scritto
discutere	discusso	spegnere	spento
essere	stato	succedere	successo
fare	fatto	vedere	visto
mettere	messo	venire	venuto
offrire	offerto	vincere	vinto

Avverbi di tempo con il passato prossimo

Noi abbiamo già deciso.

Non ha ancora denunciato la scomparsa della moglie.

Ho appena scritto un messaggio a Luca.

Ha sempre detto la verità.

Non hanno mai discusso con il capo.

Non ho più offerto il caffè alla professoressa.

1 Cosa fa di solito Carla? Usate le parole in blu per raccontare la sua giornata. Lo studente più vicino alla porta inizia il racconto con una frase, poi continua il compagno alla sua destra e così via. Quando tocca a voi, ripetete quello che hanno già detto gli altri e aggiungete una frase al racconto. Ogni frase deve contenere almeno due delle parole date!

7:00 | 10:00 | 21:30 | prima | di solito | qualche volta | oggi | dopo | invece
Gianni | istruttore | Anna | collega
pranzare | lasciare | truccarsi | pagare | lavare
spremuta | pizza | marmellata | maglione | zaino | cane | bicicletta | libro | tiramisù
lavoro | casa | bar
carino | spagnolo | verde

2 A coppie, leggete le informazioni a destra e completate la tabella, come negli esempi in blu. Se non conoscete tutte le città, chiedete ai compagni o all'insegnante.

A che piano abita...?
- Al primo piano vive un signore tunisino.
- Al secondo piano vive una famiglia cinese.
- Monique e Loic sono di Parigi.
- Gli studenti spagnoli vivono sopra la ragazza olandese.
- La famiglia Yan viene da Pechino.
- I signori Ferrari vivono sotto Monique e Loic.
- Hammadi è di Tunisi.
- I Ferrari sono di Napoli.
- Al sesto piano vive una coppia francese.
- Juan e Daniel sono di Madrid.
- Emma è di Amsterdam.

Piano	Nome/Cognome	Città	Paese	Nazionalità
6°				
5°	i signori Ferrari			italiani
4°				
3°				
2°				
1°			Tunisia	

3 Riconoscete il palazzo della foto? Cerchiate i participi passati dei verbi dati. Poi con le lettere rimaste completate la frase.

camminare ◆ pagare ◆ guardare ◆ nascere
mettere ◆ comprare ◆ lasciare ◆ capire
dare ◆ fare ◆ spegnere

È la _____ A ___ A _____,
patrimonio mondiale dell'UNESCO dal 1997.

R	S	E	G	G	L	C	C	I
A	P	C	D	G	A	O	A	I
C	E	A	F	U	S	M	M	A
S	N	P	A	A	C	P	M	P
D	T	I	T	R	I	R	I	A
A	O	T	T	D	A	A	N	G
T	E	O	O	A	T	T	A	A
O	R	N	A	T	O	O	T	T
M	E	S	S	O	T	A	O	O

Vacanze italiane

Siete pronti per le vostre vacanze italiane?
Giocate in 3 o in 3 piccoli gruppi.
A turno, tirate il dado. Quando arrivate su
una casella blu, il giocatore alla
vostra destra sceglie per voi uno dei
compiti proposti.
Se la risposta non è giusta,
tornate indietro di una casella.
Dopo, il turno passa al giocatore successivo.
Vince chi arriva per primo alle bellissime
spiagge del Nord della Sardegna!
Attenzione al colore delle caselle:
leggete la **Legenda**!

GRAPPA

TRIESTE

9

VENEZIA

8

ANCONA

16

TRENTO

7

L'AQUILA

17

BOLOGNA

10

PERUGIA

15

PARMA

VERONA

6

FIRENZE

14

ROMA

18

PISA

11

SIENA

13

MILANO

5

12

1

GENOVA

19

CASERTA

22

BARI

AOSTA

4

ASTI

2

PARTENZA

ARRIVO

30 SASSARI

TORINO

3

N E O S

23 MATERA
21 POTENZA
20 NAPOLI
29 CAGLIARI
28 ISOLE EOLIE
24 REGGIO CALABRIA
25 MESSINA
27 PALERMO
26 AGRIGENTO

Legenda
caselle verdi: tirate il dado un'altra volta!
caselle rosse: tornate indietro di due caselle!

Compiti

- 3 giorni di festa in Italia.
- 5 espressioni/parole che puoi sentire in un negozio di abbigliamento.
- Trova e correggi l'errore: *Vado sempre al lavoro in piedi.*
- 3 famosi atleti italiani e i loro sport.
- 3 frasi che può dire un cameriere.
- Se hai fame, cosa ordini? un maglione/un panino/uno sconto
- Sei a Roma, è maggio e nevica: esprimi la tua sorpresa.
- "Sì, ci vado spesso per lavoro." Fai la domanda.
- Chi arriva ... vince la medaglia d'oro. L'... non vince niente!
- Vado ... Venezia; ... Stati Uniti; ... nonni; ... bar.
- Qual è la parola estranea? *aereo – autobus – metro – tram*
- Offri tu. Paola dice "Grazie!" Cosa rispondi?
- I figli della sorella di mio padre sono i miei ...
- Spiega a un compagno come arrivare alla farmacia più vicina.
- "Lei è Francesca." Che cosa dici?
- Com'è il tuo lavoro ideale? 3 caratteristiche.
- Qual è la parola o l'espressione estranea? *è nuvoloso – piove – sole – nevica*
- Chiedi il prezzo di un capo di abbigliamento in vetrina.

- Qual è la parola estranea? *vedo – veniamo – vedono – vedete*
- 5 colori e 2 stili di abbigliamento.
- Cerchi lavoro. Un amico fissa per te una lezione/una visita/un colloquio con il suo direttore.
- Cosa potete fare domani sera? 3 proposte.
- Consiglia ai tuoi compagni un antipasto, un primo e un secondo.
- Sei la commessa. Una ragazza vuole provare un paio di scarpe. Cosa chiedi?
- Che cosa fai ogni mattina? 3 verbi.
- Cerchi una segretaria: quale caratteristica o caratteristiche deve avere?
- Qual è la parola estranea? *ristorante – fast food – pasticceria – trattoria*
- Questi guanti sono molto gentili/saporiti/eleganti.
- Trasforma alla forma di cortesia: "Che cosa prendi? Vuoi un caffè? Mangi una brioche?"
- Stamattina Giacomo ... andato al bar, ... bevuto un caffè e ... letto il giornale.

4 *Leggete ad alta voce le frasi e poi, a coppie, fate l'abbinamento come nell'esempio in* blu. *In seguito, scegliete una frase e preparate un breve dialogo da recitare davanti alla classe.*

Vediamo chi pensa al dialogo più originale!

a ARRIVEDERCI.

b PRONTO!

c BUON APPETITO!

d IL MIO RISTRETTO, PER FAVORE.

e POSSIAMO DARE UN'OCCHIATA?

f CIAO! IO SONO LUCA!

g QUANTO COSTANO?

h HMM, NON SONO MALE!

1. ☐ 2. f 3. ☐ 4. ☐ 5. ☐ 6. ☐ 7. ☐ 8. ☐

Al lavoro! Guida gastronomica per turisti italiani all'estero

Un gruppo di studenti italiani visita la vostra città. Non sono abituati alla cucina straniera e vogliono sapere dove possono trovare piatti e prodotti italiani.

1. Brainstorming in classe: ci sono locali italiani e negozi di prodotti italiani nella vostra città? Disegnate una tabella alla lavagna e mettete il nome sotto a ogni tipo di locale (trattoria, ristorante, pizzeria, bar ecc.) o negozio (di specialità siciliane, di salumi, di dolci ecc.).

2. Lavorate in gruppi di due o tre persone: ogni gruppo si occupa di una categoria di locali. Fate un sondaggio in classe: chi è stato nei vari locali/negozi? Che punteggio dà da 1 a 5? Qual è il prodotto tipico o la specialità di ogni locale? Avete qualche foto?

3. Su una cartina della città segnate la posizione e scrivete i nomi dei locali; aggiungete il punteggio ricevuto e un breve commento.

4. Fate delle prove con i compagni: alcuni di voi chiedono dove possono trovare, ad esempio, una buona pizza italiana; gli altri consigliano un locale, danno le indicazioni per arrivare, raccontano la loro esperienza e propongono di provare dei piatti.

STUDENTE A

Unità 6
D2

Chiedi a B di chiudere il libro e dire:

1. almeno quattro mesi che hanno doppie consonanti (*gennaio, febbraio, maggio, settembre, ottobre*);
2. quale mese viene prima di agosto (*luglio*).

Unità 7
D3

Osserva la cartina a destra e scegli una città.

1. Devi indovinare la città di B: osserva di nuovo la cartina e fai tre domande sul tempo per capire qual è.
2. Tocca a B indovinare la tua città: rispondi alle sue domande.

VENTO

forte
medio
debole

Milano 6-12°
Torino 2-8°
Venezia 5-10°
Genova 6-10°
Firenze 5-12°
Ancona 7-13°
Roma 10-18°
Napoli 13-20°
Bari 11-17°
Cagliari 15-22°
Palermo 16-24°

Unità 7
D5

Organizzi con B le vacanze di Natale. Tu preferisci andare in montagna. Proponi a B i seguenti pacchetti e spieghi i vantaggi di ognuno.

OFFERTA NATALE SULLE ALPI: **ASIAGONEVE Village**

Pacchetto
HOTEL+SKIPASS+SCUOLA SCI
4 notti
420 euro a persona

23-28 dicembre o 3-7 gennaio

OFFERTA

Settimana Bianca sugli Appennini

Pacchetto SCI: Albergo • Skipass • Scuola sci

6 GIORNI/5 NOTTI
dal 23 al 29/12
oppure
dal 4 al 10/1

PREZZO A PERSONA
700 euro

Albergo Lo Chalet Tel. 0874/758462 I Fax 0874/758635 I www.lochalet.matese.it

Unità 8
D6

Sei la madre. Chiami tuo figlio (B) che vive in un'altra città: chiedi come sta, come va il lavoro, com'è il tempo... ecc.

Poi informi B che fra un mese c'è il matrimonio di Barbara, la sua cugina preferita, e non può mancare.

Unità 9
B3

Prima ascolta insieme a B le due ordinazioni. Tu scrivi le espressioni che usa il cameriere.

Adesso fate un dialogo.

Tu sei il cameriere e prendi l'ordinazione usando le espressioni scritte sopra.

Alcuni dei piatti che ordina B sono finiti perché è tardi, quindi proponi altri piatti (gli spaghetti al ragù, la bistecca, un'insalata) e aggiungi che sono "molto buoni", "la specialità del ristorante" ecc.

Unità 10
C5

Entri in un negozio di abbigliamento: vuoi fare un regalo alla tua amica Laura, ma non sai cosa comprare. Vuoi spendere circa 50 euro.

Chiami B: descrivi i seguenti capi e accessori e chiedi il suo parere. Alla fine dell'attività fai vedere a B l'immagine sotto.

Maglietta bianca 35 euro

Jeans 58 euro

Sciarpa rosa 32 euro

Cintura nera 42 euro

Stivali marroni 65 euro

Vestito viola 70 euro

20% SCONTO

Unità 11
E2

❯ *Osserva insieme a B l'immagine a pag. 128 per un minuto.*

❯ *Usa le parole dietro, di fronte a, a destra di per dare a B, che prende appunti, tre informazioni: due vere e una falsa (es. La libreria è a destra del museo).*

❯ *Poi tocca a B dare tre informazioni, mentre tu prendi appunti.*

❯ *Alla fine consultate di nuovo l'immagine: il primo che scopre la bugia del compagno vince!*

Unità 12
A6

❯ *Parli con B di alcune attività fisiche. Prima esprimi tu le opinioni date sotto le immagini (se B non capisce qualche parola, la puoi mimare!). Puoi iniziare con "Secondo me...". B dice se è d'accordo o no e perché.*

Tutti devono andare in palestra.

Il calcio è lo sport più bello.

Correre all'aperto è più faticoso.

❯ *Poi B esprime la sua opinione su altre attività e tu dici se sei d'accordo o no e perché.*
Puoi usare queste espressioni: infatti / giusto / non sono d'accordo / vero / è così / hai ragione / invece / non è proprio così / al contrario.

STUDENTE B

Unità 6
A4

❯ A esprime la sua opinione su tre professioni e tu usi
queste parole per esprimere la tua, come nell'esempio.

> *Mah, non so...
> è molto difficile.*

probabilmente
penso di sì ◆ forse
credo di no
chissà ◆ mah, non so
facile/difficile
interessante/noioso
creativo ◆ faticoso
stipendio alto/basso

❯ Dopo esprimi la tua opinione sulle seguenti professioni
e ascolti i commenti di A.

> *Secondo me, il lavoro
> del/della/dell'... è interessante!*

Agricoltore

Poliziotto/a

Attore/Attrice

❯ Tra le sei professioni date, quale piace di più
a tutti e due?

Unità 6
D2

Chiedi ad A di chiudere il libro e dire:

1. quale mese viene prima di aprile (marzo);

2. almeno quattro mesi che finiscono in -e
(aprile, settembre, ottobre, novembre,
dicembre).

Unità 7
D3

Osserva la cartina a destra e scegli una città.

1. Rispondi alle domande di A che cerca di
indovinare qual è la tua città.

2. Ora tocca a te indovinare la città di
A: osserva di nuovo la cartina e fai tre
domande sul tempo per capire qual è.

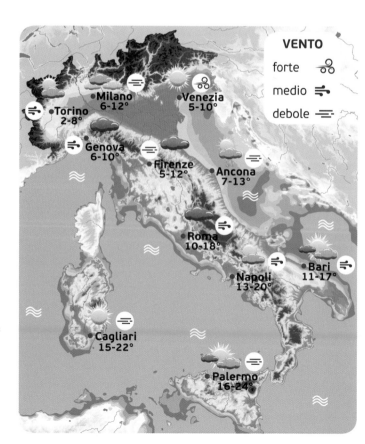

VENTO

forte
medio
debole

Milano 6-12°
Venezia 5-10°
Torino 2-8°
Genova 6-10°
Firenze 5-12°
Ancona 7-13°
Roma 10-18°
Napoli 13-20°
Bari 11-17°
Cagliari 15-22°
Palermo 16-24°

Unità 7
D5

Organizzi con A le vacanze di Natale. Tu preferisci passare il Natale con la famiglia e partire dopo.
Non ami molto la montagna, il freddo e lo sci e soprattutto non vuoi spendere troppo.
Proponi una gita in macchina a Siena e spieghi ad A i vantaggi della tua proposta.

Offerta Capodanno a Siena!!!

30/12-3/1

4 notti: 450 euro a persona

Aperitivo di benvenuto
Cenone di Capodanno con musica live

H
Albergo Gran Campo

Tel. 0577-292879
Fax 0577-292206
www.grancampo.it

Unità 8
D6

Sei il figlio. Sei per strada, hai fretta e ricevi una telefonata: è tua madre (A), che vive in un'altra città.
Rispondi alle sue domande e chiedi come stanno lei e tuo padre.

Poi trovi una scusa per non fare quello che propone tua madre.

Unità 9
B3

Prima ascolta insieme ad A le due ordinazioni. Tu scrivi le espressioni che usano i clienti per ordinare.

Adesso fate un dialogo.
Tu sei il cliente e ordini prosciutto e melone, penne al pomodoro, pollo, patate al forno, vino bianco.
Alcuni piatti però sono finiti. Senti cosa propone A e decidi.

Unità 10
A5

*Sei commesso/a in un negozio di abbigliamento. Fai un dialogo con un cliente (A)
e dai informazioni sui seguenti capi di abbigliamento.*

maglione verde
Taglie: M (emme), L (elle)
Colori: verde, rosso, blu
Prezzo: 62 euro

gonna corta
Taglie: 38-44
Colori: bianco, rosa
Prezzo: 28 euro

pantaloni blu
Taglie: 40-48
Colori: blu, nero
Prezzo: 35 euro

camicia bianca
Taglie: S (esse), L (elle)
Colori: bianco
Prezzo: 40 euro

Le taglie italiane

da donna		da uomo
38	XS	44
40/42	S	46
44	M	48
46	L	50
48	XL	52

Puoi usare queste espressioni.

Paga in contanti o con la carta di credito?   Il camerino è in fondo a sinistra.

Costa...   Il suo pin, per favore.   Che taglia porta? La 42?   C'è il 10% di sconto.

Unità 10
C5

*Ricevi una telefonata da A che è in un negozio di abbigliamento per comprare un regalo
per la vostra amica Laura. È indeciso/a tra i seguenti capi e accessori e vuole un consiglio.*
Tu chiedi alcune informazioni: colore, prezzo ecc.
Scegliete insieme un regalo, poi vai a pag. 146 per vedere l'immagine.

cintura

vestito

stivali

jeans

sciarpa

maglietta

Unità 11
E2

❭ *Osserva insieme ad A l'immagine a pag. 128 per un minuto.*

❭ *A ti dà tre informazioni e tu prendi appunti: due sono vere, una è falsa!*

❭ *Poi tu usi le parole accanto a, tra, a sinistra di per dare ad A, che prende appunti, due informazioni vere e una falsa (es. Il museo è a sinistra della libreria).*

❭ *Alla fine consultate di nuovo l'immagine: il primo che scopre la bugia del compagno vince!*

Unità 12
A6

❭ *Parli con A di alcune attività fisiche. Esprimi accordo o disaccordo su quello che dice A e spieghi il perché. Puoi usare queste espressioni: infatti / giusto / non sono d'accordo / vero / è così / hai ragione / invece / non è proprio così / al contrario.*

❭ *Poi esprimi le opinioni date sotto (se A non capisce qualche parola, la puoi mimare!). Puoi iniziare con "Secondo me...". A dice se è d'accordo o no e perché.*

Il tennis è noioso.

Con la zumba e l'aerobica ti diverti.

La pallacanestro è uno sport per pochi.

Unità 12
E1

Scegli uno dei campioni italiani presentati sotto e rispondi alle domande di A.

Poi chiedi ad A informazioni sul campione che ha scelto: nome, data di nascita, sport, medaglie o titoli vinti, record stabiliti e quando.

Alla fine vi confrontate con le altre coppie: quale personaggio è più importante, secondo voi?

Nel 2005
Il 6 settembre 2005
Nel settembre del 2005

Pietro Mennea
(1952-2013)

Atletica leggera

Medaglia d'oro nei giochi olimpici (1980)

Record mondiale nei 200 metri (1979)

Francesca Schiavone
(4/9/1970)

Tennis

Roland Garros (2010)

Fausto Coppi
(1919-1960)

Ciclismo

5 Giri d'Italia
2 Tour de France

menù

ANTIPASTI

	€
Salumi e formaggi locali	10
Bruschette pomodoro e basilico	5
Prosciutto e melone	8,50

PRIMI

Spaghetti al pesto	9
Penne al pomodoro	9
Fettuccine al ragù	10
Lasagne al forno	9
Tortellini al burro	9
Risotto ai funghi	10

SECONDI

Bistecca alla fiorentina	16
Pollo arrosto	10
Scaloppine al vino bianco	12
Pesce alla griglia	30-35 al chilo

CONTORNI

Insalata di stagione	4,50
Patate al forno	3,50
Verdure grigliate	5
Caprese	8

DOLCI

	€
Tiramisù	4,50
Crostata di frutta	4
Torta di mele	3,50

BEVANDE

Vino della casa		
bianco e rosso	1 litro	6
	½ litro	3,50
Acqua minerale	1 litro	1,90
	½ litro	1,30
Bibite		2,50
Birra piccola		3
Birra media		5
Caffè		1,30
Caffè corretto		1,80
Amari		3
Grappa		4

Tutti gli esercizi sono disponibili
in formato interattivo su *www.i-d-e-e.it*

1 Ascolta e scrivi la parola che senti.

_ _ _ _ _ _ _ _ _ _ _ in Italia!

2 Guarda la cartina dell'Italia. Poi ascolta e indica con una ✗ le parole che senti.

3 Completa il dialogo.

_____(1) ragazzi!
Io sono Carla.

Ciao! Io _____(2)
Gianni. _____(3)!

_____(4)!
Bruno!

4 Cerchia le lettere dell'alfabeto che troviamo solo in parole straniere.

A B C D E F G H I

J K L M N O P Q R

S T U V W X Y Z

5 Leggi le lettere. Poi scrivi le parole sotto le immagini, come nell'esempio in blu.

1. emme a ci ci acca i enne e

2. pi a gi i enne a

3. a elle effe a bi e ti o

4. emme u esse i ci a

5. pi a ci ci acca e ti ti o

a. _pagina_

b. _____ c. _____ d. _____ e. _____

6 Ascolta e scrivi i nomi, come nell'esempio in blu.

1. _Chiara_   4. _____
2. _____   5. _____
3. _____   6. _____

7 Ascolta e indica con una ✗ le parole che senti.

☐ banco   ☐ pacchetto   ☐ cellulare

☐ Guido   ☐ cinema   ☐ Gianni

☐ Beatrice   ☐ classe   ☐ lingua

8 Guarda le immagini e completa le parole con o, i.

libr____   ragazz____   pacchett____   spaghett____

9 Guarda le immagini e completa le parole con *a, e*.

mascher____   pizz____   ragazz____   macchin____

10 Leggi e scrivi i sostantivi al posto giusto. Vedi anche pagina 230 (2.4).

compagno ◆ studenti ◆ maschera ◆ macchine ◆ pacchetto ◆ banca ◆ studente ◆ ragazzo
ragazzi ◆ banchi ◆ amico ◆ giorni ◆ amiche ◆ cellulari ◆ parole ◆ musica ◆ classe

Maschile		Femminile	
singolare	plurale	singolare	plurale

11 Completa le frasi con la forma giusta del verbo *essere*.

1. Piacere, io _____(1) Mario e lei _____(2) Anita. E tu _____(3) l'insegnante di italiano?

  (1) a. sono   (2) a. sono   (3) a. è
        b. sei   b. è   b. siete
        c. è   c. sono   c. sei

2. Ciao, io sono Paola. E lei _____(1) Akima. Noi _____(2) amiche.

  (1) a. sei   (2) a. sono
        b. è   b. siamo
        c. siamo   c. siete

3. Ciao ragazzi! Voi _____(1) studenti? Io _____(2) Patrizio, il professore di italiano.

  (1) a. sei   (2) a. sono
        b. siamo   b. sei
        c. siete   c. è

12 Completa le frasi con il verbo *essere*.

1. Marzia _____ simpatica.
2. Ciao! Io _____ Alina.
3. Marco e Giovanni _____ amici.
4. Bruno _____ studente di archeologia.

5. Tu _____ insegnante d'italiano?
6. Gianni e Bruno _____ simpatici.
7. Voi _____ italiani?
8. Carla _____ insegnante.

13 Completa le frasi con la forma giusta di *essere* e dell'*aggettivo*, come nell'esempio in blu. Vedi anche pag. 232 (3.3). Attenzione: sono possibili più frasi!

1. Aurora *è contenta.*
_____

2. Luigi _____

3. Le ragazze _____
_____

4. Tutti gli studenti _____
_____

5. Cristina _____

bravo

bello

contento

simpatico

14 Metti in ordine le parole e forma le frasi, come nell'esempio in blu. Comincia con le parole in rosso.

1. d'italiano / Carla / insegnante / è   *Carla è insegnante d'italiano.*

2. studente / è / Bruno / di / archeologia? _____

3. ragazzi / Marco e Luca / due / sono / italiani _____

4. io e / amici / Gianni / siamo _____

5. italiani? / siete / voi _____

15 Abbina i saluti alle immagini. Attenzione: c'è un saluto in più!

a. Buongiorno   b. Buonasera   c. Ciao   d. Arrivederci   e. Buonanotte

1 ☐

2 ☐

3 ☐

4 ☐

16 Abbina domande e risposte, come nell'esempio in blu.

1. Tu sei insegnante di italiano?   a. Sì, grazie. E tu?

2. Ragazzi, siete pronti?   b. Sì, siamo pronti.

3. Io sono Anna. E tu?   c. Giacomo. Piacere!

4. Ciao Carla, tutto bene?   d. Sì, bella.

5. Buongiorno. Bella giornata, no?   e. No, sono professore di archeologia.

17 Cerchia, in orizzontale (→) e in verticale (↓), le altre 6 parole per salutare e presentarsi, come nell'esempio in blu.

B	U	O	N	G	I	O	R	N	O	A
U	B	U	O	N	C	U	A	E	R	R
O	U	A	C	G	I	B	R	N	O	R
N	E	P	I	A	C	E	R	E	T	I
A	D	C	A	I	O	N	I	E	B	V
S	B	U	O	N	A	N	O	T	T	E
E	E	C	P	I	C	E	E	U	C	D
R	O	C	I	N	O	N	D	T	G	E
A	I	A	R	I	V	U	E	I	E	R
E	U	O	P	O	M	T	R	I	G	C
P	I	B	E	N	V	E	N	U	T	I

18 Scrivi il risultato come nell'esempio in blu

1 + 2		tre
10 – 6		
4 + 1		
10 – 2	=	
6 + 3		
5 + 2		
9 – 8		

 19 Ascolta e indica i numeri di cellulare di Carla e di Bruno.

a. 349 1276558   d. 335 2912042
b. 348 1267558   e. 335 2515042
c. 349 1267558   f. 333 2916022

 20 Ascolta e completa i dialoghi, come nell'esempio in blu.

1. • Grazie, ragazzi! Buonanotte!
   ◦ Grazie a voi!
   _____!

2. • Ciao Barbara!
   ◦ Oh, ciao Anna.
     Tutto _____?
   • Sì, grazie.

3. • _____, signor Renato!
   ◦ Buongiorno, _____!
     Bella giornata oggi, no?
   • _____, sì!

4. • _____, ragazzi!
   ◦ Buonasera!
   • _____?
   ◦ Sì!

21 **a** Cerchia la parola estranea.

1. sera – giorno – amico – notte – pomeriggio
2. amici – maschera – ragazzo – ragazze
3. libro – pagina – dieci – alfabeto – parola
4. brave – simpatiche – contente – immagine
5. studenti – banco – pizza – insegnante – classe

a

b

b Ora abbina i gruppi di parole alle immagini.

c

d

e

1 Scrivi il nome delle città sotto i monumenti.

La Valle dei Templi

La Reggia

a.

b.

La Mole Antonelliana

c.

L'Arena

d.

La Torre pendente

e.

Il Colosseo

f.

Il Duomo

g.

2 Guarda il video e indica con una ✗ se le frasi sono vere (V) o false (F).

	V	F
1. La capitale d'Italia è Firenze.	◯	◯
2. Il Teatro alla Scala è a Milano.	◯	◯
3. Pisa è la città delle gondole.	◯	◯
4. L'Arena di Verona è famosa per Romeo e Giulietta.	◯	◯
5. Torino è la città della FIAT.	◯	◯
6. Le spiagge più belle sono nel Nord Italia.	◯	◯
7. Il Vesuvio è in Sicilia.	◯	◯
8. La Sardegna è un'isola.	◯	◯

Tutti gli esercizi sono disponibili in formato interattivo su www.i-d-e-e.it

1 Completa il dialogo con le parole date. Poi ascolta e controlla le tue risposte.

Come ti chiami   Piacere   Di dove sei

Come stai   Piacere   di Londra

Salah: Ciao!

Mei: Ciao!

Salah: _____(1)?

Mei: Mi chiamo Mei.

Salah: Io mi chiamo Salah! _____(2)!

Mei: Piacere, Salah! _____(3)?

Salah: Sono egiziano, del Cairo. E tu di dove sei?

Mei: Sono cinese, di Pechino!

Michael: Ciao ragazzi!

Salah: Ciao Michael! _____(4)?

Michael: Bene, Salah, grazie!

Salah: Michael, lei è Mei!

Michael: _____(5), Mei!

Mei: Piacere, Michael! Tu di dove sei?

Michael: Sono inglese, _____(6)!

2 Guarda le immagini e completa le frasi con il numero giusto, come nell'esempio in blu.

1. Le maschere sono _quattordici_.

2. Oggi è il _____ ottobre.

3. Le matite sono _____.

4. Il ragazzo ha _____ cani.

5. Gli studenti sono _____.

6. I cellulari sono tanti, sono _____.

7. Luca ha _____ macchine.

8. I pacchetti sono _____!

3 Completa le frasi e il cruciverba con la forma giusta degli aggettivi dati.

1. Mi chiamo Paula e sono _____, di Rio de Janeiro.
2. John è _____, di San Francisco.
3. Julie e Amaurit sono _____, di Parigi.
4. Divya e Priya sono due ragazze _____, di Mumbai.
5. Hammadi e Mohammed sono _____, di Tunisi.
6. L'insegnante è _____ con tutti.
7. Io e Daan siamo _____, di Amsterdam.
8. Questi studenti sono molto _____.
9. William è _____, di Londra.
10. Io e Shuo siamo _____, di Pechino.

bravo

gentile

🇺🇸 americano

🔘 brasiliano

✴ cinese

🔵 francese

◉ indiano

✳ inglese

⬭ olandese

Ⓖ tunisino

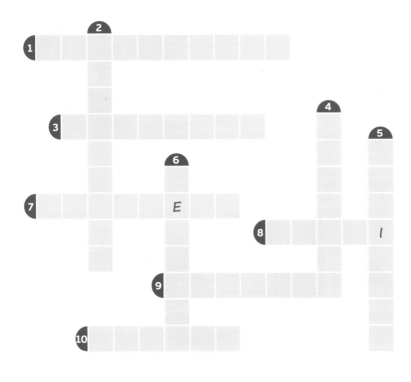

4 Leggi di nuovo le frasi dell'esercizio 3, poi completa come negli esempi in blu.

1. Io mi chiamo **Priya**. Sono indiana, di Mumbai.
2. Lui _____ **Daan**. _____.
3. Tu _____ **William**? _____?
4. Loro sono **Hammadi e Mohammed**. Sono tunisini, di Tunisi.
5. Voi _____ **Julie e Amaurit**? _____?
6. Noi _____ **Shuo e Mei**. _____.

5 *Completa i mini dialoghi con le espressioni in rosso.*

Bella Carla, no? Mah... 26-27. Boh! Perché?

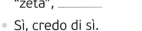

1. • Maria, di dov'è Carl?
   • _____

2. • "Pizza" si scrive con due "zeta", _____
   • Sì, credo di sì.

3. • Sono buoni gli spaghetti?
   • _____ non tanto...

6 *Metti in ordine i numeri dal più piccolo al più grande. Scrivi i numeri come negli esempi in blu.*

sedici   trenta   ventidue   undici   diciannove   ventotto   tredici   venti   quindici   venticinque

11   13

7 *Completa le frasi con la forma corretta di avere e le parole date, come nell'esempio in blu.*

fame ◆ sette anni ◆ fretta ◆ lezione ◆ sonno ◆ paura

1. Elena _____!

2. Lucia _____.

3. Noi _____ ogni giorno.

4. Io _____.

5. Tu *hai sonno* .

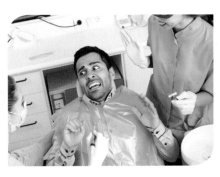

6. Juan _____.

8 Ascolta e scrivi le parole.

1. _____ 2. _____ 3. _____

4. _____ 5. _____ 6. _____

9 Guarda le immagini e scrivi i nomi degli oggetti. Attenzione alle doppie!

1. _ _ _ _ _ _ _ _

2. _ _ _ _ _ _ _ _ _ _

3. _ _ _ _ _ _

4. _ _ _ _ _

5. _ _ _ _ _ _

6. _ _ _ _ _ _

10 Guarda l'immagine e completa le frasi con le parole date e gli articoli giusti.

matite ◆ zaino ◆ libri ◆ quaderni
cellulare ◆ penne

Alice ha _____

_____

Alice non ha _____

_____

11 Completa con gli articoli e i sostantivi.

1. il cellulare → _____ cellulari
2. _____ matita → le _____
3. _____ studente → gli _____
4. il _____ → _____ libri
5. _____ quaderno → i _____
6. lo _____ → _____ zaini

12 *Guarda le immagini del video: cosa significano i due gesti?*

a. una coppia
b. due compagni di classe
c. due amici

1

2

a. "Tutto bene?"
b. "Ma vai!"
c. "Ciao ciao!"

13 *Completa i dialoghi con la parola o le parole giuste.*

- Ciao! Mi chiamo Shuo, sono _____(1), di Pechino. Tu _____(2)?
- Piacere, Shuo! Mi _____(3) José,
  sono _____(4), di Rio de Janeiro.
- _____(5), José!

- Ciao Daan!
- Ciao Michael. _____(6)?
- Bene, grazie!
- Ma Michael... di dov'è Paula?
- _____(7)! È brasiliana?

14 *Guarda le immagini e completa le frasi con gli articoli, la forma giusta di* avere *e i numeri (in lettere).*

Mei, _____(a)
professoressa di cinese,
_____ (b. avere)
_____(c) anni.
Lei è gentile e simpatica.

Noi siamo studenti
di Lingue straniere e
_____ (d. avere) molti
libri. Io _____ (e. avere)
_____(f) libri di
francese.

_____(g) studenti sono
_____(h).
_____ (i. avere)
lezione d'italiano.

1 Metti in ordine le lettere e scrivi dove è parlato l'italiano. Comincia con la lettera in blu.

r u o e a p   s r a i t u a a l

_ _ _ _ _ _ _   _ _ _ _ _ _ _ _ _

f a r a c i   a e r a c i m   i g a n p e p o

_ _ _ _ _ _   _ _ _ _ _ _ _   _ _ _ _ _ _ _ _

2 L'italiano è parlato in tutto il mondo per... Indica con una ✘ le risposte giuste.

la pizza ⬭   gli spaghetti ⬭

il caffè ⬭   la musica rock ⬭

la musica lirica ⬭   l'arte ⬭

la moda ⬭   la scuola ⬭

3 Guarda il video e poi abbina le parole alle immagini.
Attenzione: manca un'immagine!

a. il design   b. le opere d'arte   c. la letteratura

d. il cinema   e. la musica

1 ☐

2 ☐

3 ☐

4 ☐

1 *Ascolta il dialogo e abbina le frasi alla persona giusta, come nell'esempio in blu.*
Attenzione: alcune frasi vanno bene per più persone!

a Anna   b signora Grandi   c Alice   d Stefano

1. È la moglie del signor Ferrara.   _c_
2. Prende l'autobus perché è stanca.   _____
3. Ha un avviso postale per Alice.   _____
4. Il suo cognome è Ferrari.   _____

5. Chiude il bar dove lavora.   _____
6. Abita in Via Brescia.   _____
7. Riceve tanti pacchi.   _____
8. Lavora in un bar.   _____

2 *Completa con il verbo stare. Vedi anche pag. 234 (6.1.4).*

Ciao Luca,
come _____(1)?

_____(2) bene,
grazie. E Maria come
_____(3)?

3 *Leggi e abbina per formare le frasi.*

1. I signori Ferrara ricevono
2. Maria, tu vivi
3. Noi mangiamo
4. Fabio non saluta mai
5. Voi prendete

a. i vicini di casa.
b. tutti insieme la sera.
c. ancora a Roma?
d. l'autobus per andare al lavoro?
e. tanti pacchi da tutto il mondo.

4 *Completa con la forma corretta dei verbi.*

1. I vicini di casa _____ (litigare) spesso.
2. Io _____ (salutare) sempre i vicini.
3. La mia famiglia _____ (ricevere) molti pacchi.
4. Per andare al lavoro i vicini _____ (prendere) l'autobus.
5. I signori Bianchi _____ (avere) un cane e un gatto.

5 *Completa con la forma corretta dei verbi.*

1. Stefano _____ (prendere) l'autobus per andare al lavoro.

2. Stefano _____ (lavorare) al bar.

3. Stefano e Monica _____ (prendere) un caffè insieme.

4. Monica _____ (usare) la macchina per andare in ufficio.

5. Tutti i giorni Monica _____ (arrivare) tardi in ufficio.

6. Stefano _____ (chiudere) il bar e _____ (tornare) a casa.

7. La sera la coppia _____ (mangiare) e poi _____ (guardare) la TV.

6 *Scrivi in lettere i sette numeri misteriosi.*

10 20 30 ? _____

50 60 ? _____

80 ? _____ 100

35 38 41 ? _____

47 ? _____ 53

56 ? _____

? _____ 65 68 71

7 *Cerchia, in orizzontale e in verticale, i numeri dati, come nell'esempio in blu.*

```
N T R E N T A Z H N G B      100
C I L R C V E F E O R S          51
S E S S A N T A I V R E      60
A L L V O F D O L A N T          72
C I N Q U A N T U N O T
E G T U S I P A R T H A      8
N O V A N T A S C A G N          90
T Q U R D N D L E S I T      30
O R I A E B O N N E C A          88
D O D N L I T A T T B D      40
Q O T T A N T O T T O U          97
L N P A V I O B S E L E
```

8 *Leggi il dialogo tra Giacomo e Maurizio e sottolinea le parole blu corrette.*

- Giacomo, ma tu dove abiti?
- In via Padova... Perché?
- Conosci Patrizia? È al corso di inglese con me.
- Sì, è la mia amica/vicina di casa, e allora?/mah...
- È carina, no?
- E con questo?
- Giusto/Secondo te, ha il ragazzo?
- Sì, sono nervoso/sicuro che ha il ragazzo. Infatti/Va be', è troppo bella per essere sola!
- Hai fame/ragione...

9 *Completa le frasi con l'aggettivo giusto.*

1. Questo gelato al cioccolato è _____.
   a. grande   b. lungo   c. bello

2. Il mio vicino è _____ perché non saluta mai e sta sempre a casa.
   a. simpatico   b. strano   c. preoccupato

3. I ragazzi non arrivano. Sono _____. Secondo te, ci sono problemi?
   a. preoccupato   b. noioso   c. basso

4. Irina è una ragazza _____ che studia l'italiano.
   a. nervosa   b. corta   c. russa

10 Completa con l'articolo indeterminativo giusto. Vedi anche pag. 230 (2.5).

1. Vuoi _____ gelato?

2. A lezione c'è _____ studente spagnolo.

3. Riceve _____ pacco al giorno.

4. La lezione è in _____ aula molto grande.

5. Mamma, ho _____ problema.

6. Paola ha _____ orologio nuovo.

11 Scrivi i sostantivi sotto l'articolo giusto, come negli esempi in blu. Vedi anche pag. 233 (4.2).

busta ◆ avviso ◆ matita ◆ amico ◆ scherzo ◆ idea ◆ storia ◆ aula ◆ zaino
amica ◆ straniero ◆ zoo ◆ regalo ◆ immagine ◆ lezione ◆ autobus

UN	UNA	UNO	UN'
autobus	busta		

12 Completa il cruciverba.

13 Guarda le immagini e completa le frasi con le parole date, come nell'esempio in blu.

Sonia   Paola   Giulio   Barbara

bruno ◆ verdi ◆ corti
bionda ◆ lunghi ◆ bruna
rossi ◆ neri

1. Sonia è bruna, ha i capelli _____ e _____.

2. Paola ha gli occhi _____ e i capelli _____.

3. Giulio è _____, ha i capelli _____ e neri.

4. Barbara è _____ e ha i capelli corti.

33 1 **14** *Chi è?*
Ascolta le descrizioni e abbina i nomi alle immagini giuste.

1. Gioia ☐
2. Michele ☐
3. Pietro ☐
4. Giulia ☐
5. Renzo ☐

15 *Cosa c'è sul tavolo? Guarda le immagini e metti le parole al posto giusto, come negli esempi in blu.*

una chiave ◆ un bicchiere ◆ le chiavi ◆ una matita ◆ i fiori ◆ un pacco
un quaderno ◆ le matite ◆ un libro ◆ gli occhiali ◆ un cellulare ◆ le penne

Sul tavolo c'è un bicchiere, _____
_____

Sul tavolo c'è _____
_____

Sul tavolo ci sono _____
_____

Sul tavolo ci sono i fiori, _____
_____

36 1 **16** *Ascolta e indica con una ✗ le parole che senti.*

☐ basso   ☐ casa   ☐ ascolto   ☐ maschio

☐ sciare   ☐ liscia   ☐ base   ☐ cassa

17 Completa i mini dialoghi con le parole che mancano. Vedi anche pag. 230 (2.6).

a
• Luisa ha gli occhi strani.
• Cioè?
• Ha un _____ verde e un _____ blu.

b
• Ci sono _____, Martha?
• Sì, ho un problema con gli esercizi di grammatica.

c
• Giulia, ciao! Come stai? E come _____ Luca e Matteo?
• Bene! Tutti bene! E tu?

d
• Paola, c'è la professoressa in classe?
• No, _____ solo Matteo e Lucia.

e
• Che cosa studiate tu e Bruno?
• _____ archeologia.

18 Una cartolina da... Ascolta e cerchia l'immagine, come nell'esempio in blu, che corrisponde a ogni parola che senti. Poi scrivi le lettere nelle caselle dello stesso colore per scoprire la città misteriosa.

 R

A

R

B

E

P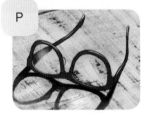

I

E

S

R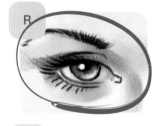

D

U

R

F

T

G

A

3

1 *Questo parolone nasconde nomi e cognomi italiani. Cerchia i nomi doppi e sottolinea i cognomi che indicano un colore.*

RosaMariaFerrariViolaPierangeloAlessandroMassimilianoMichelangeloChiaraNeriFrancesca

2 *Scrivi sotto ogni immagine il cognome giusto.*

3 *Guarda l'intervista e scrivi qual è il nome più diffuso in Italia, secondo le persone che parlano.*

Nome maschile: _____

Nome femminile: _____

4 *Guarda l'intervista e indica con una ✗ quali sono i cognomi italiani più famosi al mondo, secondo le persone che parlano.*

Lamborghini

cavalli

PRADA

GUCCI

VERSACE

ARMANI

1 Ascolta e abbina i dialoghi alle immagini.

a

b

c

d

2 Ascolta di nuovo i dialoghi, poi abbina i ringraziamenti e le risposte, come nell'esempio in blu.

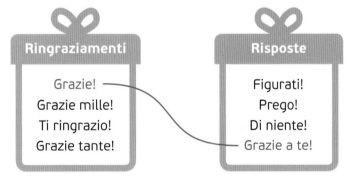

Ringraziamenti

Grazie!
Grazie mille!
Ti ringrazio!
Grazie tante!

Risposte

Figurati!
Prego!
Di niente!
Grazie a te!

3 Completa con la forma corretta dei verbi. Poi ascolta di nuovo i dialoghi dell'esercizio 1 e indica con una ✘ se le frasi sono vere o false.

	V	F
1. Mario _____ (spedire) il libro a Giulia.	◯	◯
2. Roberto e Anna _____ (preferire) la pizza margherita.	◯	◯
3. Lucia _____ (aprire) le finestre.	◯	◯
4. Giulio _____ (offrire) il caffè alla sua amica Maria.	◯	◯

4 Guarda le immagini e completa le frasi con la forma giusta dei verbi dati.

aprire ◆ preferire ◆ pulire ◆ dormire ◆ spedire ◆ partire

1. Voi _____ ancora?

2. Io _____ la brioche alla crema.

3. Giorgio _____ la cucina.

4. Tu e Andrea arrivate a casa e _____ la porta.

5. Noi _____ una lettera a un amico.

6. Tu _____ con l'aereo o con il treno?

5 Completa il dialogo con il verbo corretto alla forma giusta. Vedi anche pag. 234 (6.1.3 e 6.1.4).

barista: Ciao Teresa! Cosa _____ (1. bere/offrire) stamattina?

Teresa: Ciao Marco! Oggi _____ (2. prendere/mangiare) un caffè, un cappuccino e due brioche.

barista: Un caffè, un cappuccino e due brioche? Perché? _____ (3. Avere/Essere) così tanta fame?

Teresa: No! _____ (4. Aspettare/Essere) una mia amica, Monica, _____ (5. mangiare/prendere) insieme. La brioche è per lei. Ah, Monica! Ciao! Lui è Marco, il mio barista preferito!

Monica: Ciao Marco! Piacere, io sono Monica.

barista: Piacere! Ragazze, _____ (6. prendere/offrire) anche una spremuta?

Teresa: Per me sì, grazie! Monica?

Monica: Per me no, grazie.

(Dopo cinque minuti)

cameriere: Ecco il caffè, il cappuccino, le brioche e la spremuta!

Teresa: Grazie! _____ (7. Pagare/Mangiare) adesso o dopo?

cameriere: _____ (8. Pagare/Offrire) dopo alla cassa.

6 *Completa i dialoghi con l'espressione giusta.*

1. • Buongiorno! Io prendo una spremuta
   e un panino, grazie. Tu, Luca, cosa prendi?

   • Per me un caffè macchiato.

   • Offro io!

   • Grazie mille!

   • _____

   a. Quant'è?
   b. Pronto?
   c. Figurati!

2. • _____

   • Ciao, sono Carla! C'è Paolo?

   • Ciao Carla! Sono io!

   a. Per favore!
   b. Quant'è?
   c. Pronto?

3. • Ciao Michele! Come stai?

   • Bene, grazie! Tu?

   • _____

   a. Per favore!
   b. Anch'io!
   c. Figurati!

4. • Gianni, cosa prendi?

   • Un caffè, _____

   a. per favore!
   b. anch'io!
   c. quant'è?

7 *Completa le parole. Poi ascolta e sottolinea le parole dove la z si pronuncia come in zaino e cerchia quelle dove si pronuncia come in lezione, come nell'esempio in blu. Vedi anche pag. 229 (1.6).*

<u>z</u>ucchero   trame___ino   raga___i

na___ionalità   pi___a   a___urri

8 *Completa le frasi con il plurale delle parole date, come nell'esempio in blu. Vedi anche pag. 230 (2.7 e 2.8).*

ciliegia ♦ hobby ♦ arancia ♦ farmacia ♦ caffè ♦ bar

1. Preferisco la marmellata di arance, quella di _____ è troppo dolce.

2. Questa città è strana: ci sono molte _____ e pochi _____!

3. Lucia è una ragazza interessante: ha molti _____!

4. Ciao Marco! Oggi prendiamo due _____ e due panini!

marmellata di arance

9 *Ascolta il dialogo e completa le frasi. Poi indica con una ✗ se la frase è di Sara o di Luca. Vedi anche pag. 240 (12.1 e 12.2).*

	Sara	Luca
1. Andiamo in questo bar o in _____?	○	○
2. _____! È il mio bar preferito.	○	○
3. Una di _____!	○	○
4. Con cosa sono _____ panini?	○	○
5. Uno di _____ con il prosciutto.	○	○
6. _____ spremuta è ottima!	○	○

10 *Ascolta il dialogo e indica con una ✗ cosa prendono Elisa e Giovanni al bar.*

 11 *Ascolta di nuovo e completa il dialogo con le espressioni in* blu.

a dire la verità ◆ io vorrei ◆ per me ◆ che c'è ◆ per favore ◆ cosa prendete

cameriere: Buongiorno!

Giovanni e Elisa: Buongiorno!

cameriere: _____(1)?

Elisa: _____(2) una brioche e un caffè, per favore!

cameriere: Per Lei?

Giovanni: _____(3) un tramezzino e un succo di frutta, _____(4)!

Elisa: Non prendi un caffè?

Giovanni: _____(5), sono nervoso. Non prendo il caffè.

Elisa: _____(6)?

Giovanni: C'è una persona al lavoro che non mi piace.

Elisa: Quel tipo con i baffi?

Giovanni: Sì, lui!

Elisa: Anche a me non piace!

12 *Che confusione! Il cameriere sbaglia l'ordinazione. Completa il dialogo con i possessivi corretti.*

cameriere: Ciao Carla, ecco la _____(1) cioccolata calda!

Carla: Cioccolata calda? No, non è _____(2).

cameriere: No? E il tramezzino?

Bruno: Quello è _____(3)! Carla, il caffè è _____(4)?

Carla: Sì! Il caffè è _____(5)!

cameriere: E la spremuta? Di chi è?

Bruno: È _____(6), di Anna!

cameriere: Che confusione! Scusate!

13) *Leggi i dialoghi e trasforma le espressioni in* blu *da informali a formali e viceversa.*

INFORMALE

Fabio: _____(1)! Mi chiamo Fabio. E tu come ti chiami?

Carlo: Mi chiamo Carlo! Piacere!

Fabio: Piacere! Anche _____(2) il corso con Harry?

Carlo: Sì!

Fabio: Abbiamo ancora 30 minuti. Prendi un caffè al bar?

Carlo: Bella idea! C'è anche Harry al bar.

Fabio: Ciao Harry! _____(3)?

Harry: Bene, grazie! Cosa prendete? Oggi offro io!

FORMALE

Sig. Sala: Buongiorno! Mi chiamo Fabio Sala. E _____(4)?

Sig. Arca: Mi chiamo Carlo Arca! Piacere!

Sig. Sala: Piacere! Anche Lei fa il corso con il professor Green?

Sig. Rossi: Sì!

Sig. Sala: Abbiamo ancora 30 minuti. _____(5) un caffè al bar?

Sig. Rossi: Bella idea! C'è anche il professore al bar!

Sig. Sala: _____(6) professore! Come sta?

Prof. Green: Bene, grazie! Cosa prendete? Oggi offro io!

14) *Sottolinea le parole o le espressioni in* blu *giuste.*

barista: Buongiorno signora Binotto, come (1) sta/stai?

Lucia: Buongiorno Mario, (2) sto/sono bene, grazie!

barista: Cosa (3) prendo/prende?

Lucia: Oggi prendo un latte macchiato. Ma aspetto la (4) tua/mia migliore amica, Paola. È una signora bionda con (5) gli occhi azzurri/i baffi neri.

barista: È (6) quella/quello signora alta che (7) parla/arriva ora?

Lucia: (8) Giusto/Figurati! ...Paola! Sono qui!

Paola: Ciao Lucia! Come stai?

Lucia: Bene! E tu? Tutto bene?

Paola: Sì, grazie. Cosa (9) bevi/beve?

Lucia: Un latte macchiato.

Paola: Strano! Di solito (10) offri/prendi solo un caffè. Allora, anche per me un latte macchiato!

Lucia: Scusa, Mario, un altro latte macchiato, (11) per favore/pronto!

barista: Ecco, signora Binotto.

Lucia: (12) Quant'è/E allora?

barista: 4 euro.

1 *Guarda le foto e completa le frasi. Andiamo al bar per...*

a. _____ un panino

b. leggere _____

c. prendere _____

d. mangiare _____

e. guardare _____

f. _____ colazione

2 *Guarda l'intervista e indica con una ✗ la risposta giusta. Attenzione: sono possibili più risposte!*

1. Luigi, l'intervistatore, prende
   - ⃝ un cornetto
   - ⃝ due panini
   - ⃝ due tramezzini
   - ⃝ un'aranciata
   - ⃝ una pizza

2. La barista prepara
   - ⃝ una spremuta
   - ⃝ un espresso
   - ⃝ un cappuccino
   - ⃝ un tè
   - ⃝ un caffè macchiato

3. La barista prepara il latte macchiato con
   - ⃝ cioccolata
   - ⃝ poco latte
   - ⃝ caffè
   - ⃝ liquore
   - ⃝ molto latte

4. Al bar servono l'aperitivo
   - ⃝ di mattina
   - ⃝ di pomeriggio
   - ⃝ di notte
   - ⃝ a mezzogiorno
   - ⃝ di sera

5. I clienti ordinano come aperitivo
   - ⃝ acqua
   - ⃝ vino
   - ⃝ birra
   - ⃝ spritz
   - ⃝ succo d'arancia

Tutti gli esercizi sono disponibili
in formato interattivo su *www.i-d-e-e.it*

1 Ascolta e abbina i sei dialoghi alle immagini. Attenzione: in due dialoghi senti più di un passatempo!

 a
 b
 c
 d

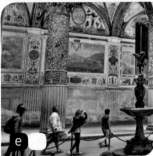 e
 f
 g
 h

2 Ascolta di nuovo i dialoghi e completa la tabella come nell'esempio in blu.

Invito	Risposta	Accetta	Rifiuta
1. Perché non andiamo a...?	Bella idea!	✗	
2.			
3.			
4.			
5.			
6.			

3 Completa con la forma corretta dei verbi.

1. Tu e Marco _____ (venire) a teatro con noi stasera?

2. Nel pomeriggio io _____ (andare) a fare una passeggiata.
   Chiamo Giulia, forse _____ (venire) anche lei.

3. I ragazzi _____ (andare) a ballare stasera.
   _____ (andare) anche noi con loro?

4. Che fai stasera? _____ (andare) alla festa a casa di Valerio
   o _____ (venire) al cinema con me?

5. _____ (venire) anche noi al ristorante messicano domani!

4 Leggi il dialogo e sottolinea il verbo giusto.

Ivano: Pronto! Ciao Elena, come (1) vai/stai?

Elena: Bene, grazie!

Ivano: Senti... hai voglia di (2) venire/andare con noi a ballare stasera?

Elena: Mi dispiace, stasera ho da fare. Magari domani.

Ivano: Ma stasera in quel nuovo locale c'è una serata speciale, una festa con musica anni '80. Domani, invece, è chiuso...

Elena: Peccato! Domani tu sei libero?
(3) Veniamo/Andiamo in pizzeria?

Ivano: Perché no? Chiamo anche Marina. Sento se (4) va/viene anche lei perché domani sera non lavora.

Elena: Hmm... No, non è libera: domani (5) va/viene al cinema con il suo ragazzo!

5 Leggi di nuovo il dialogo dell'esercizio 4 e indica con una ✗ se le frasi sono vere o false.

	V	F
1. Ivano invita Elena a ballare.	○	○
2. Elena è libera domani.	○	○
3. Stasera c'è una festa anni '80.	○	○
4. Domani Ivano ha da fare.	○	○
5. Marina lavora in pizzeria.	○	○
6. Alla fine vanno tutti insieme al cinema.	○	○

6 Completa le frasi con le preposizioni giuste. Vedi anche pag. 241 (13.1 e 13.2).

1. Stasera uscite _____ Lucia e Francesca?

2. Maria, vieni a cena _____ me? Cucino molto bene!

3. _____ una settimana partiamo _____ la Spagna!

4. Dopo il lavoro vado _____ casa _____ autobus.

5. Questo regalo è _____ Lucia?

6. No, non andiamo _____ cinema! Stasera c'è un bel film _____ TV!

7. Parli molto bene! _____ quanto tempo studi l'inglese?

8. Il ragazzo alto _____ i capelli corti è un amico _____ Michele.

9. Telefoni tu _____ Matteo? Io scrivo un messaggio _____ Maria.

10. _____ agosto vado _____ mare. Vieni?

7 Dove vai? Scrivi le parole sotto la preposizione giusta, come negli esempi in blu.

a	in
Firenze,	*Inghilterra,*

Firenze ◆ Inghilterra ◆ Germania
Milano ◆ teatro ◆ vacanza ◆ ballare
farmacia ◆ pranzo ◆ Londra ◆ centro
un concerto ◆ Toscana ◆ letto ◆ Asia
Venezia ◆ scuola

8 Cerchia e scrivi in ordine i giorni della settimana, come nell'esempio in blu.
Con le parole rimaste completa il titolo del libro.

MASSIMO CARLOTTO

DA QUESTO ROMANZO IL FILM DI MICHELE SOAVI
CON ALESSIO BONI E MICHELE PLACIDO

~~mercoledì~~ giovedì arrivederci domenica amore martedì lunedì ciao sabato venerdì

1. _____   4. _____

2. _____   5. _____

3. _mercoledì_   6. _____   7. _____

9 Completa con le espressioni in blu. Poi abbina i dialoghi alle situazioni.

magari ◆ ho fame ◆ hai paura ◆ ho intenzione ◆ hai voglia ◆ peccato

a
• Prego, signora.
• Buonasera, un biglietto per *Donne moderne*, per favore.
• Mi dispiace. Oggi c'è un altro film. *Donne moderne* comincia domani.
• Ma come?! _____(1)!

b
• Cosa prendi? Un panino?
• No, grazie. Ad essere sincero, non _____(2).
• Allora un caffè? Offro io!

SITUAZIONI
☐ Al bar
☐ Al telefono
☐ Al cinema
☐ A casa

c
• Ma quando torna Mario? Sono le 11... e poi non risponde al telefono!
• Ma di cosa _____(3)?
• Ha solo quattordici anni... Ora chiamo il suo amico Paolo!
• No, dai! Aspetta ancora dieci minuti.
• No, senti, non _____(4) di aspettare!

d
• Pronto, Luca, come va?
• Bene, grazie.
• _____(5) di venire al cinema stasera?
• Mi dispiace ma ho da fare. _____(6) un'altra volta.

10 Quante volte vanno in palestra queste persone? Ascolta e indica con una **X**, come nell'esempio in blu.

	sempre	spesso	raramente	mai
1. Marco	X			
2. Carolina				
3. Salvatore				
4. Aurora				

11 Leggi e sottolinea la forma corretta di *fare*.

1. • Che lavoro faccio/fai?
   • Fai/Faccio il barista.
2. • Che cosa fa/fanno i tuoi figli nel tempo libero?
   • Facciamo/Fanno sport: Giuseppe gioca a calcio e Adriano va in palestra.
   • E tu cosa fai/fa?
   • Io? Io faccio/facciamo lunghe passeggiate con il cane.

3. • Tra poco vado al cinema. Venite?
   • No, grazie, magari un'altra volta. Oggi fate/facciamo un picnic.
   • E domani? Che fanno/fate?
   • Non lo sappiamo...
   • Allora facciamo/faccio qualcosa tutti insieme! Andiamo a ballare?

12) Completa i mini dialoghi con i verbi, dati in ordine, alla forma corretta, come nell'esempio in blu. Vedi anche pag. 234 (6.1.4). Poi abbina i dialoghi alle immagini.

1. • Sa (Lei) che ore sono?

    • No, mi dispiace. Non lo _____. Forse _____ le dieci.

sapere
sapere
essere

sapere
andare

2. • _____ (tu) che sport fa Giulio?

    • Sì, _____ in palestra.

3. • Non _____ (io) voglia di uscire stasera... Se non

    _____ (io), _____ anche tu a casa con me?

    • Va bene. Guardiamo un film alla TV? _____ io quale?

avere
uscire
rimanere
scegliere

dire
tenere
salire
litigare

4. • I signori Giuliacci non sono i vicini di casa più simpatici...

    • Perché _____ (tu) così?

    • Perché _____ (loro) sempre la musica alta, parlano ad alta voce quando _____ le scale e _____ spesso. Insomma, per noi è impossibile dormire!

5. • Quando _____ (io) al cinema, _____ sempre il cellulare.

    • Anch'io!

andare
spegnere

fare
tradurre
tradurre

6. • Ragazzi, _____ (voi) troppe domande tutti insieme... Per favore, uno alla volta! Ava, prima _____ tu il testo, poi _____ Lin.

    • Va bene, professore.

13) Guarda gli orologi e indica l'ora giusta.

1. a. È l'una meno dieci.
   b. Sono le dieci e cinque.
   c. Sono le undici e dieci.

2. a. Sono le otto e mezza.
   b. Sono le tre meno venti.
   c. Sono le otto e un quarto.

3. a. È l'una e mezza.
   b. Sono le sette e dieci.
   c. È l'una e trentacinque.

6 **14** *Che ore sono? Ascolta e indica con una ✗ l'orologio giusto.*

a ⬭ b ⬭ c ⬭ d ⬭

15 *Leggi e scrivi i numeri, come nell'esempio in blu. Vedi anche pag. 238 (7.4).*

quattrocentodue = _402_

mille = _____

settecentoventicinque = _____

tremilacento = _____

diecimila = _____

duecentosessantasei = _____

novecentodieci = _____

ottocentotrentanove = _____

16 *Leggi le frasi e completa il cruciverba con le parole mancanti.*

Verticali

1. Vado a teatro ..., 2-3 volte all'anno.
3. Andiamo al ... a vedere il nuovo film di Roberto Benigni?
6. Mi piace ...! Faccio bene la pizza!
8. Il giorno prima di sabato è ...

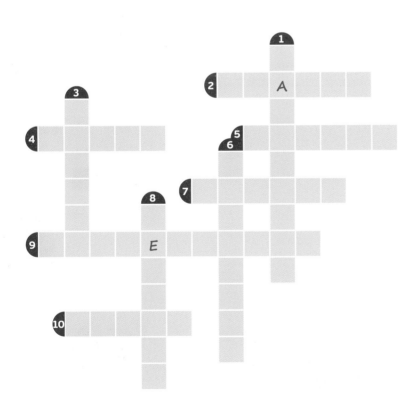

Orizzontali

2. I ragazzi ... molte ore sui social media.
4. Stasera andiamo a ballare. ... anche tu, Elena?
5. Io ... spesso sport, tre o quattro volte alla settimana.
7. Se oggi è domenica, domani è ...
9. Perché non andiamo a fare una ... in centro?
10. Ama gli sport pericolosi, non ha ... di niente!

1 È sabato! Guarda le foto e scrivi come passano il tempo libero queste persone, come nell'esempio in blu.

Ore 10.00

1. I signori Verdi *visitano Roma.*
_____

Ore 11.00

2. Marta e Alessio
_____
_____

Ore 12.00

3. Daria e Michela
_____
_____

Ore 16.00

4. Carlo e Bruno
_____
_____

Ore 17.00

5. Massimo e Davide
_____
_____

Ore 18.00

6. Gianni, Paolo e Mattia
_____
_____

Ore 20.00

7. Anna
_____
_____

Ore 21.00

8. Gloria e Alberto
_____
_____

 2 Guarda il video e indica con una ✗ cosa fanno di solito nel tempo libero Massimo, Edoardo, Maria e Adriana.

	Massimo	Edoardo	Maria	Adriana
1. Guarda le serie tv.				
2. Esce con gli amici.				
3. Guarda lo sport in tv.				
4. Va a ballare.				
5. Legge.				
6. Gioca ai videogiochi.				
7. Va al cinema.				
8. Va in palestra.				

Massimo

Edoardo

Maria

Adriana

1 Leggi gli annunci di lavoro e la descrizione delle persone. Poi fai l'abbinamento.

Ultimi annunci di lavoro

a. Cerco giovane segretario/a, anche senza esperienza. Necessaria lingua francese.

b. Cerchiamo una commessa di bella presenza per un negozio in centro. Lavoro nel fine settimana.

c. Avvocato cerca una segretaria laureata anche senza esperienza.

d. Ristorante nel centro di Bologna cerca un cuoco con esperienza.

1

Giovane di 18 anni
cerca lavoro. Parla
italiano e francese.

2

Sono Luca e ho 27 anni.
Lavoro come cuoco da
sei anni.

3

Sono Jessica, ho 26 anni,
una laurea in Economia e
poche esperienze di lavoro.

4

Studentessa cerca un
lavoro per il sabato e
la domenica.

2 Leggi di nuovo l'esercizio 1 e completa i dialoghi con le espressioni in *rosso*.

penso di sì ◆ sicuramente ◆ forse ◆ credo di no

• Sebastien parla francese? **1**

• _____:
i suoi genitori sono francesi.

• Cercano una commessa per
il fine settimana. **2**

• _____ fa per Laura:
studia ma cerca lavoro.

• Jessica ha molta esperienza? **3**

• _____.
Cerca lavoro da poco.

• Maria, Luca è cuoco? **4**

• _____: lavora da tanti
anni in un ristorante in centro.

1
59

3 **a** Ascolta alcune persone che descrivono il loro lavoro e
indica con una ✗ se le informazioni sono vere o false.

	V	F
a. Il lavoro di Gloria è faticoso, ma ha uno stipendio alto.	○	○
b. Il lavoro di Marco è creativo, ma lo stipendio è basso.	○	○
c. Marco chiede spesso soldi ai genitori.	○	○
d. Gli stipendi di Marco e Francesca sono bassi.	○	○
e. Il lavoro di Francesca e Paolo è creativo.	○	○
f. Paolo qualche volta lavora la notte, ma ha uno stipendio alto.	○	○

1
59

b Ascolta di nuovo le descrizioni: che lavoro fanno?

Gloria è _____. Marco è _____. Francesca è _____. Paolo è _____.

4 Completa le frasi con il femminile o il maschile, come nell'esempio in blu. Vedi anche pag. 231 (2.10).

1. Laura è commessa.	Mattia è commesso.
2. Marcella è la _____ del teatro.	Marco è il direttore del teatro.
3. Teresa è una professoressa d'inglese.	Sandro è un _____ d'inglese.
4. Simona fa la barista.	Vittorio fa il _____.
5. Greta lavora come segretaria in un grande ufficio.	Pietro lavora come _____ in un grande ufficio.
6. Giulia è una _____, lavora in ospedale.	Giovanni è un dottore, lavora in ospedale.

5 Domino. Completa le tessere con articoli e preposizioni, come negli esempi in blu.

di | la | della professoressa | a | le | alle 18 | ___

___ | ai miei | di | il | ___ film | a | l' | ___ amica di

lo | ___ stadio di | e | dell'università | ___

___ di | delle ragazze | ___

___ | studenti | ___

___ | ___ studio | a | ___ | ___ amici | a | il | ___ cuoco | a | ___ | ___ festa

6 a Leggi la descrizione della giornata di lavoro di Maria e sottolinea la preposizione corretta.

Lavoro cinque giorni 1. alla/della settimana; non lavoro mai il sabato e la domenica. Ogni giorno esco di casa 2. alle/delle otto meno un quarto e prendo il treno. Appena arrivo, se ho tempo prendo un caffè al bar 3. all'/dell'università. Inizio 4. alle/delle 9:50. In classe, con gli studenti leggiamo e ascoltiamo testi, guardiamo video, scriviamo e discutiamo 5. alle/delle differenze culturali tra l'Italia e i loro Paesi. Le domande 6. agli/degli studenti sono sempre molto interessanti. Di solito finisco 7. alle/delle 17 e, prima di andare 8. alla/della stazione, prendo un aperitivo con i colleghi.

b Leggi di nuovo il testo: che lavoro fa Maria?

Maria è _____.

Siena

7 Completa le frasi con le preposizioni date. Vedi anche pag. 242 (13.4).

al ◆ di ◆ all' ◆ alla ◆ di ◆ a ◆ alle ◆ del

1. A Cristiano piace molto parlare _____ musica.
2. La figlia di Lucia va _____ scuola in autobus.
3. Marta va a ballare tre volte _____ settimana.
4. Lucia e Giovanni parlano spesso _____ lavoro.
5. Il Museo del Cinema chiude _____ 19:00.
6. Sandro legge cinquanta libri _____ anno!
7. Sabato andiamo _____ *Teatro Sistina*.
8. Ogni anno, a settembre, c'è la Mostra _____ Cinema di Venezia.

8 Leggi e indica in quale mini dialogo (a o b) l'espressione in blu è usata in modo giusto.

1
• Sono molto contento oggi!
• Come mai?
• Stasera esco con Marta!

a   b

• Domani vado a Firenze!
• Come mai?
• In treno!

2
• Maria, ti piace la pizza?
• No, mi dispiace!
• Che peccato! E la pasta?
• La pasta mi piace molto!

a   b

• Paolo come stai?
• Non bene... Lavoro molto, dormo poco e non ho tempo di fare sport!
• Mi dispiace!

3
• Buongiorno Sandro!
• ArrivederLa, signora Lucia! Come sta?
• Molto bene, grazie, e Lei?

a   b

• Ciao Sergio, a domani!
• ArrivederLa, professoressa!

9 Sostituisci le parole in rosso con ci, come nell'esempio in blu.

1. Vivo a Milano da tre anni.

   Ci vivo da tre anni.

2. Andiamo in vacanza in Egitto tutti gli anni.

   _____

3. Io e Alessio abitiamo a Torino da 10 anni.

   _____

4. Gli zii rimangono in Francia due settimane.

   _____

5. Maria e Luca vanno al cinema ogni sabato.

   _____

10 Completa il cruciverba con la forma giusta dei *verbi*. Poi usa le lettere delle caselle colorate per completare la frase sotto, come nell'esempio in *blu*.

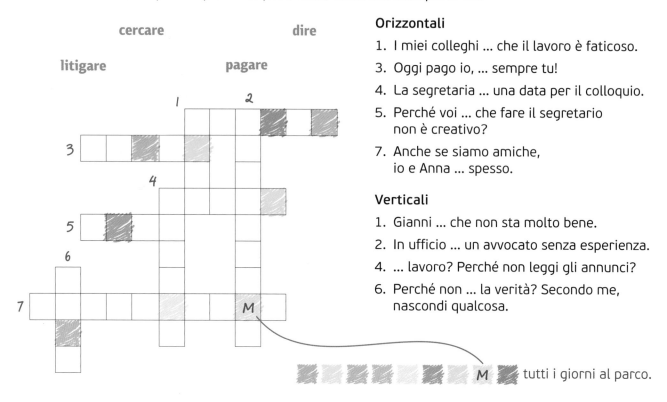

cercare   dire

litigare   pagare

Orizzontali

1. I miei colleghi ... che il lavoro è faticoso.
3. Oggi pago io, ... sempre tu!
4. La segretaria ... una data per il colloquio.
5. Perché voi ... che fare il segretario non è creativo?
7. Anche se siamo amiche, io e Anna ... spesso.

Verticali

1. Gianni ... che non sta molto bene.
2. In ufficio ... un avvocato senza esperienza.
4. ... lavoro? Perché non leggi gli annunci?
6. Perché non ... la verità? Secondo me, nascondi qualcosa.

... M ... tutti i giorni al parco.

11 Cerchia e scrivi i mesi in ordine, come nell'esempio in *blu*.

novembreottobreagostofebbraiogiugnomarzoaprilemaggiodicembregennaiolugliosettembre

1.	7.
2.	8.
3.	9.
4.	10.
5.	11. *novembre*
6.	12.

12 a Ascolta la descrizione di 5 feste e completa la tabella, come nell'esempio in *blu*. Se puoi, metti anche il giorno esatto.

	festa	mese	giorno
1.	Ognissanti	novembre	1
2.			
3.			
4.			
5.			

Zeppole di San Giuseppe Napoli

b *Ascolta di nuovo e indica con una ✗ a quale/i festa/e si riferisce ogni affermazione, come negli esempi in* blu.

Le feste

	1	2	3	4	5
a. Di solito organizziamo cene con gli amici o la famiglia.					
b. In questo giorno mangiamo dolci tipici.	✗				
c. In questo giorno ci sono molti concerti.					
d. Per questa festa regaliamo fiori.					
e. È in primavera.					
f. È in autunno.	✗				
g. È in inverno.					

---

13 *Completa le frasi con i numeri ordinali. Vedi anche pag. 238 (7.5).*

1. Martedì è il _____ giorno della settimana.

2. La D è la _____ lettera dell'alfabeto italiano.

3. Gloria e Franco sono sempre i _____ (1) ad arrivare a lezione.

4. Luigi abita al _____ (18) piano di un palazzo molto moderno.

5. I signori Ranieri festeggiano il loro _____ (23) anniversario di matrimonio.

---

14 *Completa le parole con le lettere* gn *e* gl. *Poi leggi e abbina le parole con la stessa pronuncia, come nell'esempio in* blu.

compa____o   sce____iere

dise____o   giugno   fami____ia
              luglio
bi____ietto   inglese   lava____a

inse____ante   _Gl_oria

---

15 *Cerchia la parola estranea.*

1. primavera – estate – autunno – inverno – maggio

2. febbraio – aprile – martedì – luglio – agosto

3. terzo – quarto – due – sesto – tredicesimo

4. avvocato – signore – medico – commessa – segretaria

---

16 *Completa il testo con le parole date.*

probabilmente ◆ il ◆ autunno ◆ all' ◆ con
ventesimo ◆ passeggiata ◆ cuoco

Oggi è _____(1) 15 ottobre ed è un giorno speciale perché è il mio compleanno: il mio _____(2) compleanno.

Fra un po' ho lezione _____(3) università. Più tardi vado a Boccadasse _____(4) alcuni amici.

Andiamo a mangiare nel ristorante del papà di Lucia, lui fa il _____(5) ed è molto bravo.

Dopo pranzo, anche se è _____(6), possiamo fare una _____(7) al porto.

La sera _____(8) vado a una festa in un locale del centro.

Il porto di Boccadasse, Genova

1 *Indica con una ✗ se le frasi sono vere o false.*

	V	F
1. Avere una laurea è importante per trovare lavoro.	○	○
2. Pochi italiani scelgono il lavoro d'ufficio.	○	○
3. Sempre più giovani scelgono di fare il meccanico.	○	○
4. Tanti studenti universitari lavorano part-time.	○	○
5. Normalmente gli italiani lavorano 9 ore al giorno.	○	○
6. L'orario di lavoro è uguale per tutti.	○	○
7. Gli italiani di solito fanno la pausa pranzo.	○	○
8. Solo i medici si chiamano "dottori".	○	○

2 *Guarda l'intervista e indica con una ✗ chi fa cosa. Attenzione: sono possibili più risposte.*

	Sonia	Cesare	Nikolaus	Erminio
1. Fa la panettiera.				
2. Lavora fino alle 11 di sera.				
3. Lavora dalle 5 alle 19.				
4. Lavora anche il sabato.				
5. Fa la pausa pranzo.				
6. A pranzo mangia un panino.				
7. Prende uno stipendio basso.				
8. Non ha la laurea.				

1 *Abbina le parole alle immagini. Attenzione: c'è una parola in più!*

1.

2.

3.

4.

5.

a. camera matrimoniale
b. sito
c. sciare
d. Natale
e. famiglia
f. biglietti

2 *In agenzia di viaggi. Leggi e abbina per formare delle frasi, come nell'esempio in* blu.

1. Buongiorno, avete un pacchetto
2. Abbiamo un pacchetto per la settimana
3. Cerchiamo una camera
4. In tutto sono 730 euro. Pagate
5. Costa molto. Forse è meglio scegliere un altro
6. Nel pomeriggio in agenzia c'è Marcella, la nuova

a. bianca sulle Alpi.
b. in contanti?
c. periodo. Magari prima di Natale.
d. matrimoniale e una singola.
e. collega.
f. economico per Capodanno?

3 *Completa i mini dialoghi con le espressioni a destra.*
Attenzione: c'è un'espressione in più!

certo ◆ purtroppo ◆ chissà
non fa per noi ◆ in tutto ◆ forse

1. • Campiglio è un bellissimo posto per la settimana bianca!
   • Sì, ma _____. È troppo caro!

Madonna di Campiglio, Trentino

2. • Ciao Sonia, come stai? Che fai a Capodanno?
   • Non lo so ancora.
   • Perché non vieni a cena da noi?
   • _____, ottima idea! Grazie!

3. • _____ abbiamo un pacchetto che fa per voi.
   Costa 300 euro a persona.
   • Allora, siamo due persone... 600 euro _____, giusto?

4. • Avete una camera singola?
   • No, _____ abbiamo solo camere matrimoniali. Mi dispiace.

4 Completa la tabella a destra come negli esempi in blu.

1. Marco va dal giornalaio tutte le mattine alle 7.

2. Cerco una camera singola dal 4 al 10 gennaio.

3. Alla fine spendiamo 250 euro per un fine settimana sugli sci.

4. Metti i biglietti nello zaino della tua amica.

dal	alle
[da + il]	[___ + ___]
[___ + ___]	[___ + ___]
[___ + ___]	[___ + ___]
[___ + ___]	[___ + ___]

5 Completa con la preposizione articolata corretta. Poi scrivi le preposizioni nella tabella, sotto la domanda giusta, come nell'esempio in blu.

1. Perché non leggi l'ultimo libro del professor Neri? Parla _____ musei italiani.

2. Domani ho un colloquio di lavoro alle 10 _____ università.

3. Oggi Lorenzo parte _____ sua famiglia, vanno _____ Alpi.

4. _____ pomeriggio esco con Ambra, andiamo a comprare i regali di Natale.

5. Il museo è aperto _____ 9:00 _____ 17:00.

6. A Capodanno andiamo _____ estero per cinque giorni, a Parigi.

7. Vieni con me _____ medico? Non sto bene...

Quando?	Dove?	Con chi?	Di quale argomento?
2. alle			

6 Leggi il dialogo e trasforma le espressioni in rosso da informali a formali, come nell'esempio in blu.

Informale (tu)	Formale (Lei)
• Pronto, *Mondo Viaggi*, buongiorno, sono Sara.	• Pronto, *Mondo Viaggi*, buongiorno, sono Sara.
• Ciao, sono Adriano.	• _____(1), sono Adriano Signorotto.
• Scusa, non ho capito bene il tuo nome.	• _____(2), non ho capito bene il _____(3) nome.
• Sono Adriano Signorotto.	• Sono Adriano Signorotto.
• Ah, ciao Adriano. Come stai? Chiami per il viaggio in Toscana? I biglietti per te sono pronti.	• Ah, _____(4) signor Signorotto. Come _____(5)? _____(6) per il viaggio in Toscana? I biglietti per Lei sono pronti.

Radda in Chianti, Toscana

7 *Metti in ordine le parole e forma le frasi. Comincia con le parole in* blu.

1. a / scuola / Epifania / dopo / torniamo / l' _____.
2. come / ma / a / fai / ore / camminare / per _____?!
3. forse / se / è / tu / meglio / chiami _____!
4. non / a / perché / da / Ferragosto / vieni / me _____?
5. dell' / sito / occhiata / un' / agenzia / date / sul _____.
6. anche / buona / te / Pasqua / a _____!

8 *Cerchia la parola estranea.*

1. Natale – Pasqua – Capodanno – Festa della Repubblica – Alpi
2. economico – estero – soldi – caro – contanti
3. viaggio – pacchetto – albergo – camera – regalo
4. 15 agosto – 25 dicembre – 6 gennaio – 28 febbraio – 2 giugno

9 *Sottolinea la preposizione giusta. Vedi anche pag. 243 (13.7 e 13.8).*

1. Domani il museo apre nelle/alle 9.
2. Andiamo alla/dalla stazione: Mattia arriva oggi in/da Milano.
3. Vieni per/in biblioteca con me? Cerco un libro di/con storia dell'arte.
4. Lucia oggi esce prima per/da andare al/dal medico.
5. Mia sorella va a fare l'Erasmus in/a Francia in/per sei mesi.
6. Fra/In una settimana partiamo, andiamo sulle/per le Dolomiti.
7. Non sono a/fra casa mia, sono a/da Luca.
8. Ragazzi, bisogna studiare tanto: l'esame con/di matematica è tra/in dieci giorni!

10 *Dove vai? Scrivi le parole sotto la preposizione giusta, come nell'esempio in* blu.

medico ◆ Napoli ◆ Teatro Verdi ◆ aeroporto ◆ internet ◆ bar ◆ Giovanni ◆ giornalaio ◆ un'amica ◆ Italia

da	dal	in	a	al	all'	su
	medico					

11 *Ascolta i dialoghi e indica con una* ✗ *cosa fanno Gaia ed Elio.*

Prenota una vacanza...

		1. Gaia	2. Elio
Quando?	Natale		
	Capodanno		
	Epifania		
Dove?	Gran Sasso		
	Gran Paradiso		
Per quanto tempo?	2 giorni		
	4 giorni		
	1 settimana		

12 *Che tempo fa? Abbina le espressioni alle immagini. Attenzione: c'è un'espressione in più!*

c'è il sole ◆ piove ◆ c'è vento ◆ è nuvoloso ◆ nevica

1. _____   2. _____   3. _____   4. _____

 13 *Ascolta com'è il tempo e indica che giorno è oggi.*

LUNEDÌ	MARTEDÌ	MERCOLEDÌ	GIOVEDÌ	VENERDÌ	SABATO	DOMENICA
23° 19°	13° 7°	23° 16°	30° 24°	13° 8°	23° 16°	13° 9°

14 *Completa i messaggi con le parole date.*

forse ◆ dal ◆ su ◆ chissà ◆ magari ◆ piove ◆ hai in mente ◆ ogni anno ◆ in

Ciao Piera, come va? Qui a Milano fa freddo e _____ (1)! Che fai per Capodanno?

Ancora non lo so. _____ (2) lavoro il 31 😔... Perché? Cosa _____ (3)?

Tre giorni _____ (4) montagna, sul Gran Sasso.

Bellissimo posto! Un mio amico ci va _____ (5). Ha una casa là. _____ (6) se è libera...

Chiama il tuo amico, allora! Comunque, domani vado in agenzia. _____ (7) hanno un pacchetto...

Ok. Io guardo _____ (8) internet. Ci sentiamo domani. Adesso vado _____ (9) dottore. Un bacio! Ciao 😊

15 *Completa con le preposizioni date. Poi metti i titoli al posto giusto. Attenzione: c'è un titolo in più!*

Natale   Pasqua   Epifania   Ferragosto   Capodanno

1. _____

al ◆ in ◆ da ◆ in ◆ alle

Di solito vado _____ Sicilia. Il viaggio _____ Firenze è lungo: partiamo la mattina _____ 8 e arriviamo _____ albergo nel pomeriggio! Passiamo una settimana _____ mare, però. Che bello!

2. _____

dalla ◆ delle ◆ da ◆ con i

Ogni anno facciamo il cenone _____ nostri amici. Quest'anno vengono anche Tommaso e Gianna. Lui arriva _____ Roma con il treno _____ 11; Gianna, invece, arriva _____ Spagna nel pomeriggio.

3. _____

negli ◆ al ◆ dai ◆ in

Vado sempre _____ miei genitori, _____ montagna. Vengono tutti, anche Marcella che vive _____ Stati Uniti. Dopo pranzo apriamo i regali e giochiamo a carte! La sera, a volte, andiamo _____ cinema.

4. _____

del ◆ in ◆ nei ◆ nella

Di solito andiamo _____ piazza _____ paese dove c'è una Befana (in realtà un'attrice in maschera) che dà i regali ai bambini. Poi facciamo un giro _____ centro e compriamo qualcosa _____ negozi.

---

16 *Cancella le immagini corrispondenti alle parole date. Poi con le lettere rimaste completa la frase sotto.*

vento ◆ pandoro ◆ montagna ◆ impiegata ◆ Pasqua ◆ aeroporto ◆ panettone
biglietti ◆ regalo ◆ medico ◆ architetto ◆ albergo ◆ sole ◆ nuvoloso

In Italia i film e i libri polizieschi si chiamano anche

G ◯ ◯ ◯ ◯ ◯

1 Scrivi le feste sotto i mesi giusti, come nell'esempio in blu.

Epifania

Carnevale

San Silvestro

Natale

~~Pasqua~~

San Valentino

GENNAIO	FEBBRAIO	MARZO	APRILE
___	___	_Pasqua_	_Pasqua_
___	___	___	___

MAGGIO	GIUGNO	LUGLIO	AGOSTO
___	___	___	___
___	___	___	___

SETTEMBRE	OTTOBRE	NOVEMBRE	DICEMBRE
___	___	___	___
___	___	___	___

2 Sottolinea la parola giusta.

1. A Natale mangiamo il panettone/la colomba.
2. A San Valentino regaliamo le calze/i cioccolatini.
3. A Capodanno portiamo sempre qualcosa di verde/rosso.
4. I coriandoli/Le frittelle sono il dolce tipico del Carnevale.
5. A San Silvestro/San Valentino scriviamo biglietti d'amore.
6. Festeggiamo l'anno nuovo con i fuochi d'artificio/le maschere.
7. A Pasqua i bambini ricevono regali/uova di cioccolato.
8. La Befana porta i dolci/il carbone ai bambini cattivi.

3 Guarda le interviste e indica l'affermazione giusta.

1. Gli intervistati amano il Natale per
   a. il presepe, l'albero, l'atmosfera
   b. l'albero, i regali, i fuochi d'artificio

2. A Capodanno gli intervistati
   a. vanno al ristorante con i parenti
   b. fanno il cenone con gli amici

3. A Capodanno non mancano mai
   a. lenticchie, spumante e torrone
   b. lenticchie, spumante e qualcosa di rosso

4. Il bambino a Pasqua mangia
   a. la colomba e l'uovo di cioccolato
   b. la colomba e il latte

5. Il Carnevale piace per
   a. le maschere e i dolci
   b. i balli e i coriandoli

1

a *Ascolta il dialogo e indica con una ✗ se le affermazioni sono vere o false.*

V F

1. Secondo Giovanni, Elena è triste. ◯ ◯
2. Elena conosce solo la sposa. ◯ ◯
3. Giovanni conosce la famiglia dello sposo. ◯ ◯
4. Elena e Giovanni conoscono gli amici degli sposi. ◯ ◯
5. Le sorelle dello sposo sono belle. ◯ ◯
6. Elena dice a Giovanni che è molto bello. ◯ ◯

b *Ascolta di nuovo il dialogo e abbina le battute.*

1. - Cos'hai? Sembri preoccupata...
2. - Io conosco molta gente.
3. - Le sorelle dello sposo sono molto belle!
4. - Anche tu sei molto bella!

a. - Come mai?
b. - A questo matrimonio non conosco molte persone.
c. - Ma va!
d. - Vero!

2 *Completa le frasi con le espressioni in rosso dell'esercizio 1b.*

1. • Oggi sono molto felice!
   • _____
   • Finalmente vado in vacanza!

2. • Marta, vado a casa.
   • _____ Ci sono problemi?
   • No, sono solo stanco.

3. • Questa pizza è molto buona!
   • _____ Per questo vengo sempre qui in pausa pranzo!

4. • Che bello il vestito di Sara!
   • _____ Il colore è bruttissimo!

3 *Ascolta le descrizioni di quattro ragazzi e indica con una ✗ se le affermazioni sono vere o false.*

V F

1. A Michele piace fare sport. ◯ ◯
2. Paolo è un ragazzo timido. ◯ ◯
3. A Paolo piace leggere. ◯ ◯
4. A Michele e Sergio piace stare con gli amici. ◯ ◯
5. Sergio esce con gli amici solo nel fine settimana. ◯ ◯
6. Marco preferisce le donne ottimiste. ◯ ◯

4 *Completa i profili di queste quattro ragazze con le parole date. Attenzione: ci sono due parole in più!*

ospite   ottimista   sposi   uomo   socievoli   uomini

Sono Chiara, sono simpatica, sicura di me e _____(1). Per me il lavoro è molto importante e mi piace molto fare shopping.

Sono Laura, sono un tipo socievole, mi piace fare sport e stare con gli altri. Amo gli animali: a casa mia abbiamo 2 cani e 3 gatti. L'_____(2) perfetto per me è timido e gentile.

Sono Marta e sono una ragazza allegra. Mi piace ballare e stare con gli amici. Il venerdì e il sabato vado sempre in discoteca. Preferisco i ragazzi gentili e _____(3).

Sono Lucia, sono timida e gentile. Mi piace leggere e andare al cinema. Preferisco gli _____(4) che vedono il lato positivo delle cose e sono allegri.

5 *Ascolta di nuovo le descrizioni dei ragazzi e rileggi i profili delle ragazze dell'esercizio 4. Forma le coppie: chi è il ragazzo giusto per ognuna di loro?*

Michele

Paolo

Lucia   Chiara

Laura   Marta

Sergio

Marco

6 *Leggi i messaggi tra Mario e Luca e sottolinea il possessivo giusto.*

Ciao Luca! Come stai? Come vanno le 1. tue/mie vacanze? Com'è la 2. vostra/sua nuova casa al mare?

Ciao Mario. La casa è bellissima! Io e Angela siamo molto felici! I 3. loro/nostri vicini, poi, sono socievoli e la sera giochiamo a carte nel 4. loro/tuo giardino. E tu e Paola dove siete?

Siamo in montagna, a casa dei 5. nostri/miei genitori a Madonna di Campiglio. Ci sono anche i genitori di Paola e i 6. loro/vostri parenti... Anche noi giochiamo spesso a carte, ma io perdo sempre! 😶

Ahahah! Bello! E qui, quando venite?

Non lo so, forse a fine mese. Domani arrivano anche i 7. vostri/nostri amici francesi e passiamo una settimana nella 8. sua/loro casa, sempre qui sulle Dolomiti.

Bene... Forse i francesi non sono molto bravi a giocare a carte! 😄😄

Magari!!! 😄

7 *Completa le frasi con i possessivi a destra.*

1. Mamma, dove sono le _____ scarpe?
2. Marco e Paolo sono maleducati: non mi piace il _____ carattere.
3. Complimenti, Carla! La _____ cucina è molto bella e grande!
4. Le _____ figlie sono molto brave a scuola.
5. Cari Francesco e Paola, come vanno i _____ studi?
6. Gianluca stasera va a giocare a calcio con i _____ amici.

vostri
tua
mie
loro
nostre
suoi

8 *Completa i dialoghi con l'espressione corretta.*

1

• Stasera vieni in pizzeria?

• Non so... sono molto stanca. Ho tanto lavoro in ufficio questa settimana.

• _____ Secondo me, hai bisogno di uscire.

Ma cosa dici?
Ma va!
Appunto!
Credo di no.

2

• Cosa metti per il matrimonio di Maria?

• Non so.

• Il vestito verde è molto bello.

• _____

• Sì, secondo me, è perfetto per un matrimonio.

Figurati!
Dici?
Appunto!
Che c'è?

3

• In vacanza? Andiamo in Sardegna, come ogni anno.

• Anche Sergio e Anna ci vanno sempre.

• Ah sì? _____ Anna come sta?

• Bene. Anche se lavora molto.

Dici?
A proposito,
Appunto!
Forse

4

• Ciao Luca! Come stai?

• _____...

• Perché?

• Ho mal di schiena e non gioco a calcio da due settimane!

A dire la verità
A proposito
Insomma
Ho fame

9 *Ascolta i dialoghi e fai l'abbinamento, come nell'esempio in blu.*

1. Laura   lavora   in Via Manzoni, 10.
2. La signora Rossi   va all'università   in Piazza Verdi.
3. Silvia   abita   in Via Larga, 25.
4. Alberto   va a teatro   in Calle del Forno.

Una calle veneziana

10 *Sottolinea la forma corretta di bello. Vedi anche pag. 232 (3.6).*

1. Non vedo Carlo dagli anni dell'università. Bei/Begli/Belli tempi quelli!

2. Che bell'/bello/bel matrimonio! Luigi e Martina poi sono proprio una bel/belle/bella coppia!

3. Laura ama molto gli animali: ha due begli/belli/bei cani, Rocky e Bolero.

4. Che bei/begli/belli occhi ha la sposa! Sono azzurri o verdi?

5. Giorgio è proprio un bell'/bel/bello uomo! Poi è sempre gentile e carino con tutti.

11 a *La famiglia. Risolvi gli anagrammi come nell'esempio in blu.*

1. NI-NON → <u>N O N N I</u>
2. RI-MA-TO → _ _ _ _ _ _
3. TI-NI-PO → _ _ _ _ _ _
4. GLI-FI → _ _ _ _ _

5. O-ZI → _ _ _ _
6. REL-SO-LA → _ _ _ _ _ _ _
7. RI-NI-GE-TO → _ _ _ _ _ _ _ _
8. GI-NE-CU → _ _ _ _ _ _ _

b *Ora osserva lo schema e completa il testo sulla famiglia Rossetti con le parole dell'esercizio 11a, come nell'esempio in blu.*

Oggi è Pasqua e i Rossetti pranzano tutti insieme in giardino. A tavola ci sono già i ___nonni___ (1), il signor Renzo e la signora Lucia. C'è anche la signora Agnese, la _____(2) del signor Renzo. Poi ci sono Sofia e suo _____(3) Marcello con i loro due _____(4), Emilio e Attilio; ci sono le tre _____(5) di Attilio ed Emilio, Zoe, Micol e Giovanna, con i loro _____(6), Giuseppe e Anita. I ragazzi aspettano Alberto, lo _____(7) che vive in Olanda... ogni volta porta bellissimi regali ai suoi _____(8)!

12 *Leggi la descrizione e sottolinea la forma corretta dei possessivi.*

Ciao! Sono Elisa e ho 18 anni. Ho tre sorelle più grandi, l'unica che non vive più con 1. i nostri/nostri genitori è 2. la mia/mia sorella maggiore, Veronica. Lei è sposata e vive con 3. il suo/suo marito Leonardo e 4. la loro/loro figlia Alice. 5. La mia/Mia mamma è figlia unica, invece 6. il mio/mio padre ha due fratelli e una sorella. 7. Il mio/Mio zio preferito è zio Pietro, il fratello minore 8. del mio/di mio papà.

13 Completa le frasi con le parole date. Attenzione: ci sono due parole in più!
Poi leggi il testo a pag. 94 e indica con una ✗ quali affermazioni sono vere.

parenti ◆ zona ◆ coppia ◆ pasto ◆ abitudine ◆ moderne ◆ legame ◆ occasione ◆ genitori

1. Le famiglie siedono insieme per almeno un _____ al giorno. ◯

2. I figli vivono con i _____ fino a 20 anni. ◯

3. Le famiglie _____ sono più piccole di quelle del passato:
   una _____ con uno o due figli. ◯

4. I nonni spesso abitano nella stessa _____ dei figli. ◯

5. C'è un forte _____ tra i familiari. Gli italiani sono sempre
   pronti ad aiutare i _____. ◯

14 Completa il testo con i possessivi corretti, con o senza articolo, come nell'esempio in blu.

Silvia: Ciao Paola! Come stai?

Paola: Ciao Silvia! Bene! Quanto tempo! Ma dove vai?

Silvia: Prendo il treno, vado a Como a trovare i miei genitori. Vivono lì da un anno, ormai. E _____(1) famiglia, come sta?

Paola: Stanno tutti bene, grazie! _____(2) mamma e _____(3) papà da qualche anno vivono con _____(4) sorella Lucia, vicino a Padova. Vado da loro questo fine settimana.

Silvia: Che bello! E _____(5) sorella maggiore? ...Laura, no? Come sta?

Paola: Sì, Laura. Sta bene! Vive qui a Milano con _____(6) marito e _____(7) bambina, Elena. _____(8) fratello Alberto, invece?

Silvia: Sta bene. Vive a New York con _____(9) moglie e _____(10) nipoti: Andy e Michael.

Paola: Ma dai! Sono molto contenta! Oh, il mio treno! Vado! Quando torno, prendiamo insieme un caffè?

Silvia: Volentieri!

15 Cerchia gli otto aggettivi per descrivere una persona.
Poi usa uno o due aggettivi per descrivere i personaggi delle foto.

```
E  G  A  P  A  N  I  N  E  T
M  A  L  E  D  U  C  A  T  O
V  L  P  S  M  G  B  D  I  T
E  L  O  S  I  A  E  S  M  T
C  E  S  I  R  A  L  O  I  I
H  G  V  M  T  U  D  I  D  M
D  R  E  I  R  H  A  P  O  I
U  O  R  S  I  C  U  R  O  S
E  L  L  T  S  E  N  P  T  T
S  A  L  A  T  A  M  I  E  A
S  O  C  I  E  V  O  L  E  S
```

_____
_____

_____
_____

1 *Scegli la risposta giusta.*

1. L'italia è il Paese europeo con più:
   a. figli b. nipoti c. nonni

2. Oggi in Italia ci sono molte coppie:
   a. con 2,4 figli b. con molti figli c. senza figli

3. Gli italiani si sposano:
   a. sempre più tardi b. di sera tardi c. dopo i 35 anni

4. Le coppie italiane preferiscono:
   a. il matrimonio civile b. il matrimonio in chiesa c. la convivenza

5. Gli sposi regalano agli invitati:
   a. confetti b. oggetti per la casa c. un viaggio

6. Gli invitati regalano agli sposi:
   a. riso b. soldi c. confetti

2 *Guarda l'intervista e poi abbina le foto ai momenti più importanti del giorno del matrimonio.*

1. La mattina, le sorelle o le amiche preparano la sposa.
2. Parenti e amici vanno a casa degli sposi per fare gli auguri.
3. Gli sposi e gli invitati vanno in chiesa per il matrimonio.
4. Dopo il rito, gli invitati lanciano il riso agli sposi.
5. Poi, tutti insieme, vanno al ristorante a festeggiare.
6. Alla fine, gli sposi tagliano la torta.

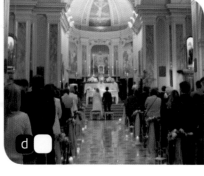

a ☐ b ☐ c ☐ d ☐ e ☐ f ☐

1 *Inserisci i numeri dei piatti nella categoria giusta a destra.*

1 fettuccine ai funghi   2 panna cotta   3 insalata verde

4 bistecca alla fiorentina   5 bruschette   6 gnocchi al pesto

Antipasti	
Primi	
Secondi	
Contorni	
Dolci	

2 *Osserva le immagini e indica l'affermazione giusta.*

Prendo un'insalata verde.
Basta così?

Da bere? Vino bianco o rosso?
Preferisco il vino bianco con il pesce.
E una bottiglia d'acqua.

a. La cameriera consiglia un dolce agli amici.
b. La cliente chiede consiglio alla cameriera.
c. La cliente ordina un contorno.

a. La signora esprime una preferenza.
b. La cameriera consiglia cosa bere.
c. I signori non sanno che cosa ordinare.

3 *Riordina le battute del dialogo, come nell'esempio in* blu.

☐ *Salvatore:* Davvero? Allora conosci il menù. Che cosa consigli?

☐ *Giacomo:* Ci sono un sacco di primi... Senti, se ci sono, io prendo gli gnocchi fatti in casa... altrimenti il risotto di mare!

☐ *Salvatore:* Ottima idea! Io prendo il risotto: ho proprio voglia di pesce! E da bere cosa prendiamo?

☐ **1** *Giacomo:* Ti piace qui? Io ci vengo spesso a pranzo con i colleghi.

☐ *Salvatore:* Ma, non so... non mi va la pizza. Preferisco prendere un primo. Vediamo che c'è...

☐ *Giacomo:* La pizza: la margherita qui è ottima!

☐ *Giacomo:* Una bottiglia di acqua gassata, va bene? Io vorrei anche un bicchiere di vino.

4 *Completa le frasi con le espressioni date. Vedi anche pag. 236 (6.1.11).*

mi piace ◆ mi va ◆ a volte ◆ mi piacciono ◆ un sacco di ◆ se no

1. Mio figlio ha _____ amici.
2. Gli spaghetti al ragù _____ molto, ma oggi prendo il risotto.
3. Francesco, vieni con me al cinema? _____, vado da solo.
4. Oggi non _____ di studiare, esco a fare una passeggiata.
5. Giorgio _____ arriva in ritardo al lavoro.
6. Ad essere sincero, non _____ l'ultimo film di Sorrentino.

5 *Completa le frasi con i verbi dati.*

vogliamo   può   dobbiamo   devi
puoi   volete   vuoi

1. Scusi, cameriere, _____ portare tre caffè?
2. Ragazzi, io e Manuela _____ provare la specialità del locale, voi che prendete?
3. Siamo qui da 20 minuti... _____ decidere cosa prendere e ordinare!
4. Vieni da noi domani sera? Se _____, _____ portare anche la tua ragazza.
5. Signori, _____ ordinare il secondo? Abbiamo un'ottima bistecca alla fiorentina.
6. Federico, non _____ mangiare la carne così spesso, fa male!

6 *Completa il dialogo con la forma giusta dei verbi dati, come nell'esempio in* rosso. *Vedi anche pag. 235 (6.1.6).*

● Paola, che fai stasera? Hai voglia di uscire?

● No, mi dispiace, non posso (1. potere) perché _____ (2. dovere) cucinare. Viene a cena mia zia che è una cuoca fantastica... Ho paura di fare brutta figura. Un consiglio?

● Beh, _____ (3. potere) preparare gli spaghetti alla carbonara. Sono facili e veloci!

● Mmh... non mi piacciono le uova!

● Allora, pasta al forno. Va sempre bene.

● Non lo so... non _____ (4. volere) cucinare qualcosa di troppo semplice. Gli gnocchi?

● Non so... Ma scusa Paola, perché non chiedi a tua zia che cosa _____ (5. volere) mangiare?

7 *Metti in ordine le parole e forma le frasi. Comincia con le parole in rosso.*

1. è / mangia / *Alice* / non / perché / niente / dieta. / a

   _____

2. un / prendiamo / non / tutti? / *perché* / antipasto / per

   _____

3. il / *scusi,* / può / conto, / favore? / portare / per

   _____

4. *signori,* / torno / Altrimenti / poco. / ordinare? / tra / volete

   _____

5. mi / primo. / va / pizza, / la / un / prendere / *non* / preferisco

   _____

8 *Ascolta il dialogo e indica con una ✗ i piatti che ordina la coppia. Attenzione: ci sono tre immagini in più!*

9 *Completa le frasi con le espressioni a destra.*

1. • Queste penne sono un po' troppo saporite.
   • _____ saporite! Sono salate! Bleah!

2. • _____? Preparo la cena?
   • No, aspetta... Perché non andiamo a mangiare fuori?

3. • Andiamo al ristorante giapponese stasera?
   • No, _____ il sushi! Vorrei provare qualcosa di nuovo.

4. • Dove andiamo a cena? Proviamo quella pizzeria in Via Galilei?
   • _____ possiamo andare "Da Pino"! Oggi è martedì, c'è il pesce fresco.
   • _____! Ottima idea!

5. • Andiamo in pizzeria stasera?
   • Ancora?! _____ mangiare sempre la pizza! Andiamo al ristorante!

6. • Sono a dieta ma _____ qualcosa di dolce. Cosa posso prendere? Un consiglio?
   • Il gelato al limone è molto leggero!

sono stufo di
se no
basta con
hai fame
macché
hai ragione
ho voglia di

10 Ascolta le interviste e indica di quale pasto parla ogni persona.

1

2

a. colazione
b. pranzo
c. merenda
d. cena

3

4

11 Osserva le immagini e completa il cruciverba.

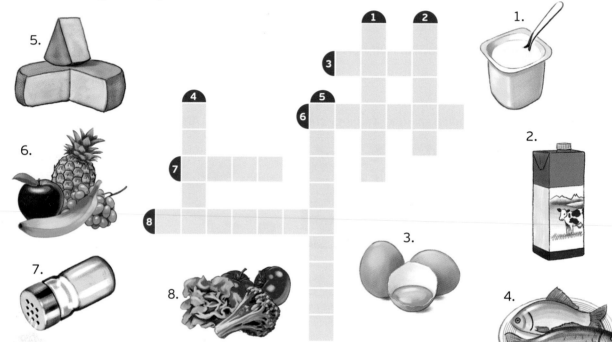

12 Completa i commenti a questi locali con le parole date.

tradizionale ◆ ricco ◆ informale ◆ abbastanza ◆ semplici
formale ◆ gentili ◆ costoso ◆ pranzo ◆ lavoro ◆ veloce

1

La trattoria Zio Tonino – cucina _____
Menù del giorno, piatti _____ ma ottimi!
Il servizio è _____ e per questo ci vado
spesso durante la pausa _____.
€ € € € economico
Specialità: pasta all'amatriciana

2

Ristorante Fori Imperiali – cucina internazionale
Menù _____. Perfetto per una cena di
_____ o per un'occasione speciale. Mi
piace molto perché l'atmosfera è _____
e i camerieri sono molto _____.
€ € € € _____
Specialità: antipasti gourmet

3

Pizzeria Trattoria Il mare di Roma – pizze, primi e secondi
I piatti di pesce sono ottimi! Ci sono anche molte pizze. Mi piace
perché l'atmosfera è molto _____, quasi familiare.
€ € € € _____ economico
Specialità: spaghetti mare e monti

13 *Osserva l'immagine e sottolinea le parole in blu corrette.*

1. Il coltello è dietro la/accanto alla forchetta.
2. Il tovagliolo è sotto/sopra la forchetta.
3. Il bicchiere è sopra il/davanti al piatto.
4. L'acqua è sul/nel bicchiere.
5. I fiori sono tra/dietro il bicchiere e il pepe.
6. Il tovagliolo è sopra il/accanto al piatto.

14 *Completa i mini dialoghi con i verbi dati, che non sono in ordine, come nell'esempio in blu.*

1. • Vorrei un dolce, ma non posso mangiare le uova!
   • _____ mangiare il gelato? _____ un gelato al limone?

   volere
   potere
   potere

dovere
potere
dovere
volere

2. • Ragazzi, per il corso di archeologia _____ (voi) visitare il Colosseo.
   _____ venire con me sabato pomeriggio?
   • Sabato non _____. Purtroppo _____ lavorare tutto il giorno...

3. • Ragazzi, _____ (noi) andare. _____ il conto?
   • Va bene. Scusi, cameriere, _____ portare il conto, per favore?
   • Certo, signori, _____ (io) subito da voi!

   potere
   chiedere
   venire
   dovere

preferire
piacere
andare
finire
dovere

4. • Perché non _____ (noi) a pranzo da "Spizzico"?
   • Non lo so... non mi _____ i fast food, _____ (io) andare in pizzeria.
   • Per me va bene. Ma _____ (noi) fare in fretta perché alle 14 _____ la pausa pranzo.

5. • Non _____ (io) andare al matrimonio di Giulia e Michele!
   • Ma che _____?! _____ andare! Sono tuoi amici!

   dire
   volere
   dovere

15 *Osserva le immagini e cerchia i nomi dei tipi di pasta, come nell'esempio in blu.*

F	A	R	F	A	L	L	E	S
E	P	E	G	M	O	L	I	P
T	S	R	N	I	S	H	C	I
T	G	N	O	C	P	C	I	G
U	H	R	C	R	A	T	C	A
C	A	A	C	U	G	L	L	O
C	G	V	H	D	H	Z	A	T
I	R	I	I	P	E	N	N	E
N	O	O	F	R	T	Q	C	I
E	S	L	G	H	T	I	L	N
O	P	I	D	F	I	B	O	A

1 Quanto conosci gli italiani? Fai il quiz e guarda il risultato in basso.

1. Quando bevono il cappuccino gli italiani?
   a. a colazione
   b. dopo pranzo
   c. la sera

2. La colazione degli italiani di solito non è:
   a. salata
   b. leggera
   c. veloce

3. Il pasto principale è:
   a. la merenda
   b. il pranzo
   c. la cena

4. Quale di questi non è un tipo di pasta?
   a. i rigatoni
   b. i fusilli
   c. i contorni

5. Quando gli italiani fanno un pasto completo, che dura molte ore?
   a. ogni giorno
   b. a cena
   c. nelle occasioni importanti

2 Guarda l'intervista e indica se le affermazioni sono vere o false.

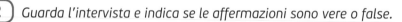

	V	F
1. Gli intervistati fanno colazione al bar con cappuccino, succo di frutta e latte.	◯	◯
2. Rosario a pranzo mangia spesso gli spaghetti al pomodoro.	◯	◯
3. Molti italiani mangiano la pasta a pranzo.	◯	◯
4. Di solito fanno merenda i bambini e i ragazzi.	◯	◯
5. Gli italiani cenano sempre al ristorante.	◯	◯
6. Gli italiani al Sud mangiano un po' più tardi.	◯	◯
7. Quando hanno fretta, gli italiani mangiano al fast food.	◯	◯
8. Agli stranieri piacciono molto il caffè, la pasta e la pizza.	◯	◯

Da 8 a 9 punti: Complimenti! Sei quasi italiano!!! 10 punti: Ma sei italiano anche tu?!?

Da 0 a 4 punti: Forse hai bisogno di una vacanza in Italia. Da 5 a 7 punti: Bravo! Conosci bene le nostre abitudini!

1. a=2, b=1, c=0; 2. a=2, b=0, c=1; 3. a=0, b=2, c=1; 4. a=1, b=0, c=2; 5. a=0, b=1, c=2

1 Ascolta il dialogo e indica con una ✗ se le informazioni
si riferiscono a Lucia o a Marta, come nell'esempio in *blu*.

	Lucia	Marta
camicia	✗	
scarpe nere		
taglia 42		
95 euro		
stile classico		
vestito		

2 Ascolta di nuovo il dialogo e completa le frasi.
Poi abbina le espressioni in *blu* a quelle a destra.

1. Che taglia _____?
2. Dove posso _____ i vestiti?
3. Avete solo questo _____?
4. Carine! Quanto _____?
5. Quant'_____?
6. _____ a Lei!

a. porti?
b. Quanto pago in tutto?
c. Quanto vengono?
d. Prego!
e. Ci sono altri colori disponibili?
f. Dove è il camerino?

3 Leggi i mini dialoghi e sottolinea il pronome giusto.

a. • Lucia! I tuoi fratelli dove sono? Sono pronti?

  ◦ Quasi, mamma! Sono in bagno: 1. si/ti/ci lavano i denti!

  • E tu? Ma non sei pronta?! Quando 2. ci/si/ti prepari?
   Dai, siamo in ritardo!

  ◦ Va bene, va bene... 3. mi/si/ti vesto subito!

b. • Adoro il sabato! Di solito 4. mi/si/vi sveglio tardi,
   faccio colazione con calma e vado a fare spese!

  ◦ Anche io e Luca dormiamo fino a tardi. Quando 5. si/ci/ti
   alziamo, 6. si/ci/vi facciamo la doccia e poi facciamo colazione
   insieme. Dopo lui 7. si/mi/vi fa la barba, io 8. si/mi/ci trucco
   e andiamo a fare una passeggiata in centro.

c. • Ciao Alessio! Come va? E Laura come sta?

  ◦ Ciao Paola! Io sto bene. Laura, invece, 9. ci/mi/si sente
   un po' stanca in questi giorni, ma domani partiamo per
   le vacanze e 10. si/ci/mi riposiamo.

  • Allora, buon viaggio!

  ◦ Grazie!

4 *Completa con la forma giusta dei* verbi. *Poi abbina le frasi alle immagini. Attenzione: c'è un'immagine in più!*

a. Mara e suo marito Pietro _____(1) alle 8.

b. Mentre Pietro _____(2) la barba, Mara _____(3) la doccia.

c. Dopo colazione, Mara _____(4) e _____(5).

d. La sera, Mara e Pietro _____(6) sul divano e leggono fino all'ora di cena.

alzarsi

farsi

riposarsi   truccarsi

farsi

pettinarsi

5 *Metti in ordine le parole e forma le frasi. Comincia con la parola in* blu.

1. quanto / scusi, / scarpe? / queste / vengono _____

2. questo / c'è / rosso? / vestito / in / anche _____

3. eleganti. / sono / camicie / molto / queste _____

4. che / taglia / ha? / scusi, _____

5. io / M. / porto / la _____

6. il / c'è / sconto / sulle / 20% / scarpe. / di _____

6 *Rileggi le frasi dell'esercizio 5. Usiamo queste frasi per...? Metti il numero delle frasi al posto giusto.*

parlare del colore	parlare del prezzo	parlare di numeri e taglie	chiedere e dare un parere

7 *Completa il dialogo con* quel, quella, quel, quell'. *Vedi anche pag. 240 (12.3).*

commessa: Buongiorno signora! Ha bisogno di aiuto?

Margherita: Sì, grazie! Posso vedere il vestito rosso in vetrina?

commessa: _____(1) vestito lungo?

Margherita: Sì! Mi piace molto. Ma anche _____(2) abito lungo vicino alla porta è molto bello!

commessa: Vuole provare quello lungo?

Margherita: Sì, ma non mi piace _____ (3) colore. Avete lo stesso abito in nero?

commessa: No, putroppo. C'è solo in blu.

Margherita: Allora provo il vestito che c'è in vetrina. Posso provare anche _____ (4) giacca?

commessa: Quella in vetrina? Perché non prova questa, invece? Secondo me, è perfetta.

Margherita: Sì, ha ragione! Mi piace molto!

8 *Completa i mini dialoghi con le espressioni a destra.*

dare un'occhiata ◆ così e così ◆ fino a
hmmm ◆ che brutta figura
lei sì che ha gusto ◆ sono di moda

1. • Wow! Queste scarpe sono bellissime! Ti piacciono?

   • _____, preferisco quegli stivali.

   • A me, invece, piacciono molto e poi _____!

2. • In questo negozio ci sono molti vestiti con il 30% di sconto. Vuoi _____?

   • _____... non so. Non mi piacciono molto i vestiti che ci sono in vetrina...

3. • Anna, devo comprare un vestito elegante per la festa di sabato... vieni con me?

   • Sì, certo. Ma perché non chiedi un consiglio anche a Sandra? _____!

4. • Signora, ecco a Lei! Sono 70 euro.

   • Oh Dio! Ho solo 50 euro in contanti e non ho la carta di credito! _____!

   • Se vuole, posso tenere le scarpe da parte _____ domani!

   • Grazie mille!

9 *Completa il dialogo con la forma giusta dei verbi. Lucio mette il pronome all'inizio (es. mi devo svegliare) e Irene dopo (es. devo svegliarmi).*

Lucio: Irene, puoi uscire dal bagno? _____ (1. dovere farsi) la doccia!

Irene: Sì, un attimo: _____ (2. dovere truccarsi)! Poi esco!

Lucio: Dai! Sono in ritardo: _____ (3. dovere prepararsi) e uscire subito!

Irene: Almeno _____ (4. potere lavarsi) i denti? Poi vai tu in bagno. _____ (5. Volere pettinarsi) con calma... ho un appuntamento di lavoro importante.

Lucio: Anch'io! Infatti... vorrei un consiglio: _____ (6. volere vestirsi) in modo elegante... vanno bene questi pantaloni e questa camicia?

Irene: Hmmm... Non hai una camicia meno sportiva?

Lucio: _____ (7. Potere mettersi) quella azzurra. Che dici? Ah, secondo te, _____ (8. dovere mettersi) anche la giacca?

Irene: Secondo me, sì, è meglio!

Lucio: Va bene. Faccio come dici tu.

10 **a** *Completa i testi con le preposizioni, come nell'esempio in blu. Vedi anche pag. 244 (13.11).*

Luisa è una studentessa di 23 anni. Adora i jeans, i giubbotti di pelle e le magliette _____(1) righe. Non esce mai senza gli occhiali _____(2) sole.

Sono Lucio, ho 30 anni e sono avvocato. Seguo molto la moda e amo vestirmi in modo elegante, soprattutto quando vado in ufficio: abito _____(3) uomo e camicia _____(4) tinta unita.

Paolo è ingegnere. Porta sempre giacca e cravatta al lavoro, ma in famiglia e nel tempo libero preferisce la tuta _____(5) ginnastica e le magliette _____(6) cotone.

b *Leggi di nuovo i testi e rispondi alle domande.*

1. In che modo si veste Lucio quando va in ufficio?
2. Qual è lo stile di Paolo quando non è al lavoro?
3. Qual è lo stile di Luisa?

a. Sportivo
b. Casual
c. Classico

11 *Ascolta la telefonata e indica con una ✗ i capi di abbigliamento e gli accessori che senti.*

a ☐ b ☐ c ☐ d ☐

e ☐ f ☐ g ☐ h ☐

i ☐ l ☐ m ☐ n ☐

12 *Che cosa mettono in valigia? Ascolta di nuovo e completa come nell'esempio in blu.*

Sara

Cristina
gonna

13 *Completa il messaggio che Laura lascia a Luca e Andrea con i verbi a destra.*
Attenzione: ci sono due verbi in più!

Ciao ragazzi! _____(1) che oggi arrivano i miei amici francesi?
Io esco dall'ufficio prima: _____(2) un po' e prepararmi con
calma prima di andare a prendere Pierre e Marie all'aeroporto.
Se i miei amici non _____(3) stanchi o non
_____(4) la doccia, usciamo subito a prendere un aperitivo.
Voi a che ora tornate? _____(5) dopo il lavoro o venite con
noi? A cena, poi, vorrei andare al "Classico", il nuovo ristorante in Via Neri.
È molto elegante, quindi _____(6) bene: camicia, giacca e
cravatta!
A dopo!
Laura

- voglio riposarmi
- devono farsi
- vi volete riposare
- si sentono
- vi ricordate
- dovete vestirvi
- si possono sentire
- dobbiamo vestirci

14 *Leggi le parole e le espressioni e cancella le immagini corrispondenti.*
Le lettere sulle immagini rimaste formano la risposta alla domanda in blu.

lavarsi le mani ◆ carta di credito ◆ maglione ◆ commessa ◆ verde ◆ provarsi un vestito ◆ cravatta
guanti ◆ farsi la doccia ◆ arancione ◆ farsi la barba ◆ abito da uomo ◆ camerini ◆ felpa

Qual è il colore preferito di Carla? Il __ __ __ __ __ __.

1 *Cerchia le otto parole relative alla moda e allo shopping. Poi completa le frasi.*

1. Le città della moda organizzano ogni anno importanti _____.

2. Gli italiani amano in particolare i capi _____.

3. Negli outlet e online possiamo trovare le grandi firme a _____ bassi.

4. Emporio Armani e Just Cavalli sono linee più casual ed _____.

5. La moda italiana è conosciuta per il suo stile e la sua _____.

6. I più bei _____ di moda italiana sono in Via Condotti e in Via Montenapoleone.

7. Gli italiani hanno una grande passione per gli _____ di pelle.

8. Prada, Gucci, Valentino, Versace sono alcuni grandi _____ italiani.

U	T	H	G	I	E	L	L	I	E
A	C	Q	U	E	L	O	T	U	C
C	I	E	L	L	E	R	P	I	O
C	E	S	T	A	G	U	R	O	N
E	S	F	I	L	A	T	E	B	O
S	I	E	N	A	N	O	Z	A	M
S	N	E	G	O	Z	I	Z	I	I
O	F	I	R	M	A	T	I	S	C
R	I	T	M	U	O	L	A	T	H
I	S	T	I	L	I	S	T	I	E

2 *Guarda il video e indica l'affermazione giusta.*

1. Molti turisti vengono in Italia
   a. solo per visitare i musei
   b. anche per fare spese

2. Gli intervistati hanno
   a. tante scarpe e borse
   b. molti maglioni e pantaloni

3. Agli italiani piacciono i capi
   a. di qualità
   b. molto costosi

4. Nei fine settimana molti italiani
   a. vanno nei centri commerciali
   b. acquistano online

5. Nei centri commerciali possiamo anche
   a. andare al cinema e dal dottore
   b. mangiare e andare in palestra

6. La Settimana della Moda è
   a. a settembre a Milano
   b. a novembre a Firenze

1 **a** *Cerchia le preposizioni giuste. Poi scrivi le lettere tra parentesi nella frase sotto, come negli esempi in blu, per trovare la parola misteriosa. Vedi anche pag. 244 (13.12).*

1. Di solito prendo l'autobus per andare al lavoro, ma se mi sveglio presto, vado in (R)/a (P) piedi.
2. Ogni volta che salgo nell' (A)/sull' (U) aereo, ho paura!
3. Non mi piace il traffico, per questo non vado mai in ufficio in (B)/sulla (D) macchina.
4. Il treno parte alla (L)/dalla (B) stazione Termini con 20 minuti di ritardo!
5. Di solito, Gianna quando esce dall' (L)/all' (I) ufficio, va dal (I)/al (A) giornalaio e poi torna a casa con la metro.
6. Quando prendo il tram non trovo mai un posto libero e devo sempre viaggiare in (C)/a (I) piedi!
7. Ieri Fabio ha avuto un incidente alla (O)/con la (I) bici.

I mezzi di trasporto come l'autobus, la metro e il tram si chiamano mezzi P _ _ _ _ I _ _.

b *Ora abbina le frasi alle immagini.*

a   b   c   d

e   f   g

2 *Completa il dialogo con le parole date.*

davvero ◆ congratulazioni ◆ ha ragione ◆ serio ◆ ha paura

Barbara: A giugno mi sposo!

Beatrice: _____(1)! Quando? Dov'è il matrimonio?

Barbara: Il 18, a... Parigi.

Beatrice: _____(2)?! Come mai?

Barbara: Sai, Daniel, il mio ragazzo, è francese. Sua madre ha settantasei anni e _____(3) di prendere l'aereo...

Beatrice: _____(4)! A quell'età...

Barbara: Sì, così andiamo noi da lei!

Beatrice: Bravi, fate bene! E... il vestito?

Barbara: Bellissimo! Già comprato. Ha la gonna rossa!

Beatrice: Rossa? Sul _____(5)?! Che colore strano per un abito da sposa!

3) *Metti i participi passati nella colonna giusta, come nell'esempio in blu.*

ricevuto ◆ salito ◆ mangiato ◆ ordinato ◆ creduto ◆ andato ◆ capito ◆ avuto ◆ finito

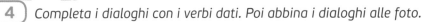

verbi in –ARE	verbi in –ERE	verbi in –IRE
mangiato		

4) *Completa i dialoghi con i verbi dati. Poi abbina i dialoghi alle foto.*

è arrivata ◆ ho ordinato ◆ è andata ◆ hanno litigato
è scappato ◆ ho capito ◆ siamo stati ◆ avete regalato

1. • Sono preoccupato per Carlo e sua moglie.
   • Perché?
   • Una settimana fa _____ e lui _____
     a Milano, dalla madre... E non vuole tornare a casa!

2. • Ieri Patrizia _____ al lavoro in bici.
   • Davvero?! E a che ora _____? Abita lontano!
   • Non lo so, sicuramente tardi!

3. • Io e Gianni _____ alla festa per i 18
     anni di Marta, la figlia dei Biancucci.
   • Caspita! Già diciotto anni? Come passa il tempo!
     E che cosa _____ a Marta?
   • Un giubbotto viola, il suo colore preferito!

4. • Buongiorno, ieri _____ una borsa sul vostro
     sito internet.
   • Sì, certo. Il Suo nome?
   • Bonaccioli.
   • Scusi, non _____. Può ripetere, per favore?

5) *Completa il testo con le espressioni date. Attenzione: c'è un'espressione in più!*

prima ◆ poco fa ◆ alla fine ◆ poi ◆ nel pomeriggio

Oggi è stata davvero una bella giornata! Alle 10 sono uscita con la mia amica Marianna: _____(1) abbiamo bevuto un caffè e _____(2) siamo andate in giro per il centro fino all'ora di pranzo. _____(3) ho incontrato Gianni. Abbiamo fatto una passeggiata, abbiamo comprato un regalo per mia nipote e, _____(4), dopo l'aperitivo con i suoi amici, siamo andati a cena a Trastevere.

6 *Leggi e indica la frase dove l'espressione in blu è usata in modo sbagliato.*

1
a. Non fa niente se arrivi in ritardo. Puoi telefonare però?
b. Ma io ho ordinato le penne! Va be', non fa niente, mangio quello che ha portato.
c. • Grazie del regalo, è bellissimo! • Non fa niente, auguri!

2
a. Non preoccuparti: faccio io con la carta di credito.
b. Puoi ordinare tu, amore? Faccio io il cameriere.
c. Vogliamo prendere un vino bianco? Se mi dite quale volete, faccio io.

3
a. La settimana scorsa sono andato a vedere il film che è uscito poco fa.
b. Dov'è Gianni? Dov'è sparito? Ho parlato con lui poco fa...
c. Esco più tardi: ora mi riposo un po'. Sono tornata dal lavoro poco fa.

7 *Completa con la forma giusta di essere o avere. Poi abbina le frasi, come nell'esempio in blu.*

1. Da giovane ho avuto un incidente in moto.
2. Ieri i miei figli _____ visitato un museo con il nonno.
3. Dove (voi) _____ lasciato la macchina?
4. Silvia, cosa _____ preparato per cena?
5. Nel pomeriggio (noi) _____ passati dalla pasticceria.

a. Le bistecche e un'insalata.
b. Abbiamo comprato una torta per il compleanno di Sara.
c. Sai, mio padre è stato professore di storia per tanti anni.
d. Ora prendo la macchina o vado a piedi.
e. Al parcheggio di Villa Borghese.

8 *Cerchia gli ausiliari giusti. Poi scrivi a destra le lettere tra parentesi e scopri la parola che significa "brutto sogno".*

1. I signori Cherubini sono (I)/hanno (S) partiti per Taormina qualche giorno fa. → ( )
2. Mio figlio ha (N)/è (O) dimenticato di nuovo i libri a scuola. → ( )
3. Ieri ho (C)/sono (A) dormito poco e ora mi sento molto stanco. → ( )
4. Che cosa hai (U)/sei (E) comprato per la festa della mamma? → ( )
5. Purtroppo abbiamo (R)/siamo (B) già tornati da Parigi! Che bella vacanza! → ( )
6. Anna? Ha (E)/È (O) entrata un attimo in farmacia. Arriva subito. → ( )

Teatro Antico, Taormina

9 *Completa il dialogo con le preposizioni giuste. Vedi anche pag. 244 (13.12).*

- Quando esci _____(1), ufficio, puoi passare _____(2) giornalaio? Io sono appena tornata _____(3) palestra _____(4) bici e sono stanca!

- D'accordo, Maria! Devo andare anche _____(5) Teatro Verdi a comprare i biglietti _____(6) domani. Arrivo un po' più tardi perché vado _____(7) autobus.

- Ah, non sei andato _____(8) macchina al lavoro? Comunque c'è un'edicola _____(9) Via Verdi, vicino _____(10) teatro.

- Va bene, ci vado... Tu, però, prepari la cena.

10 *Ascolta e abbina i titoli ai mini dialoghi. Poi indica con una ✗ quando è successo il fatto.*

Un appuntamento ◆ L'incidente in moto ◆ Le vacanze ◆ A fare spese

	ieri	qualche giorno fa	la settimana scorsa	un mese fa
1.				
2.				
3.				
4.				

11 *Guarda l'immagine e completa le frasi con le espressioni date.*

accanto ◆ di fronte
sulla sinistra ◆ alla fine ◆ sulla destra
sulla sinistra ◆ dietro

1. Il supermercato è _____ alla chiesa. Non puoi sbagliare!

2. Se esci dal supermercato e vai a destra, _____ della strada, _____, trovi il teatro.

3. Quando esci dal teatro, vai a sinistra, un po' più avanti _____ c'è il negozio di scarpe.

4. _____ la farmacia trovi il teatro.

5. Il museo è _____ al supermercato.

6. Allora, noi siamo al museo. Un po' più avanti _____ c'è la chiesa.

12 Ascolta il dialogo e indica con una ✗ se le frasi sono vere o false.

	V	F
1. L'*Hotel Isabella* è dietro il negozio di *Gucci*.	○	○
2. Mario deve prendere l'autobus numero 25.	○	○
3. Mario deve andare in Via Porta Rossa.	○	○
4. Mario trova il cinema *Odeon* sulla sinistra.	○	○
5. La casa di Luca è di fronte al ristorante *La bussola*.	○	○

13 Guarda l'immagine e scrivi tutte le parole che conosci che iniziano con la lettera C.

caffè, _____

_____

14 Completa il cruciverba con il participio passato dei verbi dati.

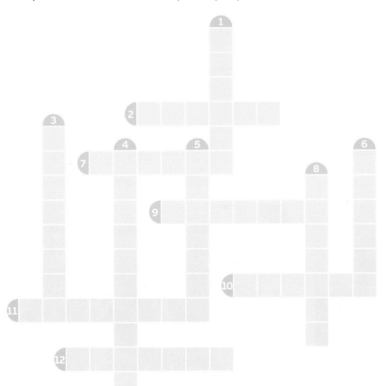

Orizzontali

2. Quando siete ... (uscire) tu e l'amico di Anna?

7. Abbiamo ... (finire) il latte. Vai tu a fare la spesa?

9. Abbiamo ... (trovare) un bel locale per l'aperitivo.

10. Le ragazze sono ... (salire) sull'autobus che va in centro.

11. Ho ... (comprare) una cintura in quel nuovo negozio in Via Roma.

12. I ragazzi sono ... (entrare) in pasticceria. Andiamo anche noi?

Verticali

1. Hai ... (capire) dov'è la farmacia?

3. I signori Ferrara hanno ... (ricevere) un pacco.

4. I miei genitori hanno ... (incontrare) Bruno al supermercato.

5. Marco, a che ora sei ... (tornare) a casa ieri sera?

6. Federica e Carla sono ... (andare) a fare un giro in bici.

8. Mi sveglio sempre presto la domenica, ma oggi ho ... (dormire) fino a tardi.

1 Completa le frasi con le informazioni giuste.

Colosseo ◆ Piazza Navona ◆ Fontana di Trevi ◆ Fori Imperiali ◆ Piazza di Spagna

1. La scalinata di _____ è molto famosa.
2. La _____ è diventata il simbolo
   di Roma con il film *La dolce vita*.
3. Il _____ è un anfiteatro di 2.000 anni.
4. Di fronte al Colosseo si trovano i _____.
5. _____ è una delle piazze più importanti di Roma.

 2 Guarda il video e rispondi alle domande.

1. Per cosa è conosciuta Via del Corso?
   _____

2. L'Altare della Patria ha anche un altro nome. Quale?
   _____

3. Quale monumento c'è dietro il Colosseo?
   _____

4. Quale fiume attraversa Roma?
   _____

5. Cosa potete vedere a Castel Sant'Angelo?
   _____

6. Secondo la tradizione, cosa devi fare per tornare a Roma?
   _____

 3 Guarda il video e abbina i monumenti alle foto.

a. Castel Sant'Angelo   b. Basilica di San Pietro   c. Porta del Popolo   d. Arco di Trionfo di Costantino

1

2

3

4

1) *Abbina le attività fisiche alle immagini. Attenzione: ci sono due immagini in meno!*

andare in bicicletta ◆ fare pesi ◆ camminare ◆ andare a correre ◆ fare nuoto ◆ fare yoga

2) *Ascolta i dialoghi, completa la tabella con tre delle attività date e indica con una ✘ la frequenza.*

fare pilates ◆ fare nuoto ◆ camminare ◆ andare in bicicletta ◆ correre

		tutti i giorni	due volte alla settimana	una volta alla settimana
1. Signora Rossi	_____	○	○	○
2. Sergio	_____	○	○	○
3. La mamma	_____	○	○	○

3) *Ascolta di nuovo i dialoghi e indica con una ✘ se le informazioni
sono vere o false.*

V   F

1. Secondo la signora Rossi, camminare non è uno sport.   ○ ○
2. Sergio invita Luca perché ha due biciclette.   ○ ○
3. Sandra litiga con la mamma perché non va a cena da lei.   ○ ○

4) *Leggi le frasi e indica quale espressione ha lo stesso significato di quella in blu.*

1. Sport? No, non è una buona idea! Non mi piace!

    a. perché no?   b. probabilmente...   c. meglio di no!

2. Vado in piscina il martedì...

    a. questo martedì   b. da martedì   c. ogni martedì

3. Sono d'accordo! Brava, mamma! Allora... ti aspetto domani!

    a. Giusto!   b. Volentieri!   c. Incredibile!

5 Completa il dialogo con le espressioni date.

ci credo ◆ su ◆ ma va ◆ senti

Silvia: Uffa! Lavoro da otto mesi e non ho ancora fatto una vacanza... Sono stanca!

Mario: _____(1), anche perché il tuo è un lavoro molto faticoso!

Silvia: Infatti... vorrei tanto andare al mare... ma è marzo, fa ancora freddo!

Mario: _____(2), perché non andiamo in montagna, allora?

Silvia: Non so...

Mario: _____(3), partiamo per qualche giorno! Hai bisogno di una pausa!

Silvia: _____(4)!

6 Completa le frasi con il passato prossimo dei verbi dati. Poi ascolta il messaggio di Lucia per Paola e indica con una ✗ se le frasi sono vere o false.

	V	F
1. Lucia racconta a Paola cosa _____ (succedere) ieri sera.	☐	☐
2. Lucia dice che in centro _____ (loro - aprire) un nuovo bar.	☐	☐
3. Sandro e il suo amico Marco _____ (fare) una festa per il loro compleanno.	☐	☐
4. Lucia _____ (andare) alla festa con Gemma e un'altra ragazza.	☐	☐
5. Lucia _____ (scoprire) che Marco conosce Paola.	☐	☐
6. Marco _____ (chiedere) a Lucia se vuole uscire con lui.	☐	☐

7 Completa con i verbi dati la risposta di Paola a Lucia.

ho incontrato ◆ ho chiesto ◆ abbiamo studiato ◆ ho scoperto
ha ricevuto ◆ abbiamo conosciuto ◆ abbiamo fatto ◆ hai risposto

Ciao Lucia! Che bello! E tu cosa _____(1)? Uscite stasera? A dire la verità, ieri dopo il lavoro _____(2) Sandro e _____(3) una passeggiata. Ad un certo punto, Sandro _____(4) una telefonata e così _____(5) che è in città un suo vecchio amico, Marco, che ora vive a Roma. Per curiosità _____(6) a Sandro informazioni su questo ragazzo e... incredibile: siamo tutti di Perugia, abbiamo la stessa età e _____(7) anche nella stessa città. Allora, come mai in tutti questi anni non _____(8) Marco? Strano, no? Senti, perché non prendiamo un caffè quando esci dal lavoro? Voglio sapere tutto!!!

8 Completa i dialoghi con l'espressione corretta. Attenzione: c'è un'espressione in più!

d'accordo ◆ invece ◆ nessuno ◆ in che senso ◆ 0 a 0

• Mamma, _____(a) non c'è il dolce? Ieri abbiamo comprato la torta e il gelato!
• Sì, ma tuo fratello ha già mangiato tutto!

• Alberto, andiamo a correre domani?
• Hmm... Non so! Perché, _____(b) non rimaniamo a casa e guardiamo un bel film?
• Non vuoi fare un po' di sport?
• Certo! Mi alzo dal letto e mi siedo sul divano... un ottimo sport!

• Annalisa, hai visto i miei occhiali?
• No, papà. Hai controllato in cucina?
• Hmm... Giorgio, hai visto i miei occhiali?
• No, papà. Perché non chiedi alla mamma?
• Lucia, hai visto i miei occhiali?
• No, caro.
• Ma _____(c) ha visto i miei occhiali?!

• Allora?
• Niente.
• Come niente? La partita è iniziata da 40 minuti!
• Eh, lo so... ma sono ancora _____(d)!

9 Completa il messaggio di Cristina con gli avverbi dati. Attenzione: c'è un avverbio in più!

appena ◆ sempre ◆ mai ◆ ancora ◆ già

Ciao Chiara!

Come stai? Com'è andata in vacanza? Bello l'Alto Adige, no? Sei _____(1) tornata in ufficio? Io sono _____(2) arrivata a casa e ricomincio domani... uffa! Quando ci vediamo per un aperitivo? Anzi no, magari andiamo a correre! Io in vacanza ho mangiato tantissimo... che piatti... che sapori! Ora devo perdere qualche chilo! Non sono _____(3) andata a correre nell'ultimo mese. Tu? Hai fatto sport in vacanza? Non sei _____(4) andata a yoga, vero? Ci andiamo insieme sabato? Così guardiamo anche le foto delle vacanze! Baci baci 😊

10 Metti in ordine le parole e forma le frasi. Comincia con le parole in blu.

1. ho / fatto / non / yoga. / mai _____

2. il / hai / film / visto / già / Benigni? / di _____

3. aperto / una / hanno / palestra / appena / in / centro. _____

4. tuo / sempre / in / va / figlio / piscina? _____

5. vicini. / visto / il / non / più / gatto / ho / dei _____

6. la / non / ancora / partita / è / iniziata? _____

11 *Completa le frasi con il passato prossimo dei verbi dati.*

E' SCAPPATO GIGI!!

E' UN GATTO MASCHIO
HA GLI OCCHI VERDI
AL COLLO PORTA UN
PICCOLO CAMPANELLO.

SE VEDETE GIGI,
CHIAMATE IL
348 67 98 917
(anche WhatsApp!)
MONICA

a. Però _____ (io - decidere) di provare!

b. Lo so! Ettore _____ (dire) che è molto grande e gli istruttori sono bravi!

c. Gigi _____ (scomparire) due giorni fa. Nessuno sa dov'è.

d. No, ma i miei genitori _____ (stare) al cinema ieri. Hanno detto che è molto bello!

e. Non lo so. _____ (io - spegnere) la tv.

f. Sì! Nuota molto bene, _____ (vincere) anche alcune gare.

12 *Rileggi le frasi degli esercizi 10 e 11 e fai l'abbinamento, come nell'esempio in blu.*

1. [a]   2. [ ]   3. [ ]   4. [ ]   5. [ ]   6. [ ]

13 *Completa le frasi con il passato prossimo dei verbi. Poi abbina le frasi delle due colonne.*

1. Ieri _____ (io - offrire) da bere a tutti per festeggiare...

2. A 12 anni Elena _____ (scrivere) una storia bellissima.

3. I suoi genitori _____ (aprire) una trattoria.

4. La settimana scorsa Marco _____ (discutere) la tesi di laurea. È stato molto bravo!

5. Dove _____ (voi - mettere) le borse della spesa?

6. _____ (tu - conoscere) la nuova ragazza di Giovanni?

7. Marina, _____ (spegnere) le luci? _____ (chiudere) la porta? _____ (prendere) i soldi, il cellulare e la valigia?

a. Infatti ha preso 110 e lode!

b. Voglio preparare subito la cena!

c. Sono diventata zia! Mia sorella ha avuto un bambino.

d. Sì, è molto carina! Si chiama Elisa.

e. Allora puoi partire: sei pronta per le vacanze!

f. Saverio lavora con loro e fa il cuoco.

g. Adesso scrive molti libri ed è famosa.

1. [ ]   2. [ ]   3. [ ]   4. [ ]
5. [ ]   6. [ ]   7. [ ]

41 | **14** *Quattro campioni italiani. Ascolta e completa la tabella con le informazioni date.*

Tania Cagnotto ◆ scherma ◆ 62 medaglie ◆ Alberto Tomba ◆ sci ◆ calcio ◆ 1 mondiale
settembre 1976 ◆ 14 febbraio 1974 ◆ maggio 1985 ◆ 19 dicembre 1966 ◆ 105 medaglie

Nome	Sport	Data di nascita	Risultati
Valentina Vezzali	(1)	(2)	(3)
(4)	tuffi	(5)	(6)
Francesco Totti	(7)	(8)	(9)
(10)	(11)	(12)	più di 50 vittorie

Tania Cagnotto

Valentina Vezzali

15 Rileggi le informazioni dell'esercizio 14 e completa le frasi come nell'esempio in blu.

a. Valentina Vezzali è nata il 14 febbraio 1974.

b. _____ è nato Alberto Tomba.

c. Tania Cagnotto è nata _____.

d. _____ è nato Francesco Totti.

Alberto Tomba

16 Completa il testo con il passato prossimo dei verbi dati, come nell'esempio in rosso.

"La Divina" del tennis italiano, Lea Pericoli

È italiana, ma da bambina ha passato (1. passare) molti anni in Etiopia e poi _____ (2. studiare) in Kenya. È famosa per le sue vittorie, ma anche per la sua bellezza e per il suo abbigliamento: i suoi vestiti ora sono al *Victoria Albert Museum* di Londra. È lei che, a Wimbledon nel 1956, _____ (3. mettere) per prima la gonna corta!

Alcuni ricordano ancora quando _____ (4. entrare) in campo con il suo gonnellino: un'immagine rivoluzionaria che _____ (5. cambiare) per sempre i campi da tennis.

Nella sua carriera _____ (6. vincere) 27 titoli italiani. Poi "la Divina" _____ (7. scrivere) libri e ha lavorato in tv: _____ (8. essere) la prima telecronista donna della storia della televisione italiana... Che vita interessante!

17 Completa le frasi con la parola giusta.

1. Il __ __ __ __ __ è uno sport completo.

2. Quando fa freddo e non puoi correre fuori, puoi correre sul __ __ __ __ __ roulant.

3. Se hai bisogno di relax, puoi fare __ __ __ __ .

4. A molti italiani piace guardare il __ __ __ __ __ in televisione con gli amici.

5. Il Giro d'Italia è una gara dove le persone vanno in __ __ __ __ __ __ __ __ __ .

18 La Gazzetta dello Sport e il Giro d'Italia. Completa il testo con le parole date.

> nel ♦ hanno preso ♦ il ♦ è nata ♦ il ♦ hanno iniziato ♦ è diventato ♦ è partito

_____(1) 3 aprile del 1896 _____(2) a Milano *La Gazzetta dello Sport*. Eugenio Camillo Costamagna ed Eliso Rivera _____(3) la decisione di aprire un giornale che parla di tutti gli sport. Quando Rivera e Costamagna _____(4), il colore delle pagine era verde, ma _____(5) gennaio del 1899 il colore della *Gazzetta* _____(6) il rosa. Per questo motivo è rosa anche la maglia di chi vince il famoso Giro d'Italia, il giro ciclistico del Belpaese. Il primo Giro d'Italia _____(7) da Milano _____(8) 13 maggio 1909.

Giro d'Italia

1 Leggi le frasi a destra e completa il cruciverba con le parole mancanti.

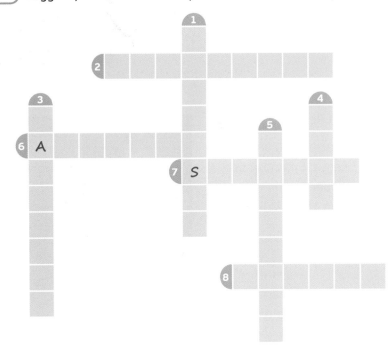

1. Per le strade di tutta Italia possiamo incontrare dei ... ogni giorno.

2. La ... Italiana Cantanti aiuta persone in difficoltà.

3. Sempre più italiani partecipano alle ... organizzate in primavera nelle grandi città.

4. Il ... d'Italia è la gara di ciclismo più importante.

5. La "maglia rosa" deve il suo colore alla ... dello Sport.

6. I giocatori della Nazionale italiana si chiamano ... .

7. Gli italiani amano seguire le partite della loro ... preferita.

8. Andiamo allo ... a vedere Italia-Spagna.

2 Guarda il video e rispondi alle domande.

1. Qual è lo sport più praticato a tutte le età?
   _____

2. Qual è la squadra preferita di Stefano? Segue le sue partite? Dove?
   _____

3. Che cos'è successo nel 1911?
   _____

4. Perché Ileana corre?
   _____

5. Quali sono le maratone più famose?
   _____

6. Quanto spesso si allenano i ciclisti intervistati?
   _____

7. Fino a quando il ciclismo è stato lo sport nazionale italiano?
   _____

8. Quando si svolge e quanto dura il Giro d'Italia?
   _____

1   *Come finisce la storia del libro? Osservate le immagini e raccontate, secondo voi, cosa succede.*

2   *In realtà questa storia finisce... come volete voi! Discutete e decidete tutti insieme: se considerate Ferrara una persona "cattiva", ascoltate il finale rosso, se no, quello blu. Attenzione, però: potete ascoltare solo uno dei finali!*

3   *Ascoltate di nuovo e fate un breve riassunto orale o scritto del finale ascoltato.*

LA NOSTRA STORIA CONTINUA IN

VIA DEL **A2**
CORSO

CON TANTE SORPRESE! VI ASPETTIAMO!

Indice

1) L'alfabeto e la pronuncia

1.1 L'alfabeto U1

							In parole straniere	
A a	a	H h	acca	Q q	cu		J j	i lunga
B b	bi	I i	i	R r	erre		K k	cappa
C c	ci	L l	elle	S s	esse		W w	doppia vu
D d	di	M m	emme	T t	ti		X x	ics
E e	e	N n	enne	U u	u		Y y	ipsilon
F f	effe	O o	o	V v	vi, vu			
G g	gi	P p	pi	Z z	zeta			

1.2 C: [tʃ] o [k] U1

C [tʃ]	
C + E, I	cellulare, cinema

C [k]	
C + A, O, U, H	cane, banco, cuore, macchina

1.3 G: [dʒ] o [g] U1

G [dʒ]	
G + E, I	gelato, buongiorno

G [g]	
G + A, O, U, H	ragazzo, dialogo, lingua, spaghetti

1.4 Le doppie consonanti U2

In italiano tutte le consonanti possono essere doppie (al posto di QQ abbiamo però, quasi sempre, CQ: *acqua*).

In molti casi le doppie cambiano il significato di una parola: *notte / note*.

• Pronunciamo le consonanti BB, CC, DD, GG, PP, CQ, TT in modo **rafforzato**.
• Pronunciamo le consonanti FF, LL, MM, NN, RR, SS, VV, ZZ **più allungate**.

1.5 S: [s] o [z]; [sk] o [ʃ] U3

In italiano abbiamo le **consonanti sorde**, senza vibrazione delle corde vocali (C, F, P, T) e le **consonanti sonore**, con la vibrazione delle corde vocali (B, D, G, L, M, N, R, V).

Solo la S e la Z possono essere sia sorde sia sonore.

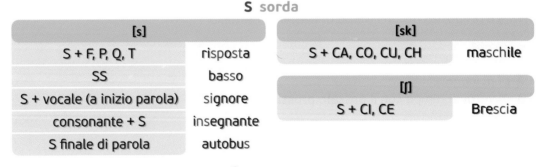

S **sorda**

[s]	
S + F, P, Q, T	risposta
SS	basso
S + vocale (a inizio parola)	signore
consonante + S	insegnante
S finale di parola	autobus

[sk]	
S + CA, CO, CU, CH	maschile

[ʃ]	
S + CI, CE	Brescia

S **sonora**

[z]	
vocale + S + vocale	casa
S + B, D, G, L, M, N, R, V	sbagliato

1.6 Z: [ts] o [dz] U4

Z sorda

[ts]	
ZZ	mozzarella, pizza, prezzo, ragazzo *eccezioni*: azzurro, tramezzino, mezzo
Z a inizio parola + sillaba che inizia per C, F, P, T	zuppa *eccezione*: zucchero
Z + IA, IO, IE	lezione, grazie
L, N, R + Z	alzare, abbastanza, scherzo

Z sonora

[dz]	
Z a inizio parola + sillaba che inizia per B, D, G, L, M, N, R, V, Z	zebra, zero, zona
Z + vocale (non I) + vocale	zaino, zoo
vocale + Z + vocale	ozono
verbi in -izzare	organizzare

Esistono molte eccezioni. Infatti, la pronuncia della Z dipende spesso dalla provenienza geografica del parlante.

1.7 GN: [ɲ] o [gn] U6

GN un solo suono

[ɲ]	
nella maggior parte delle parole	bagno, giugno, compagno
scriviamo la -i- solo se accentata o nella prima persona plurale del presente indicativo	compagnia, disegniamo

GN due suoni separati

[gn]	
in parole di origine greca	gnosi*
in parole di origine tedesca	wagneriano

*Accettata anche la pronuncia [ɲ].

1.8 GL: [ʎ] o [gl] U6

GL

[ʎ]	
GL + I	gli
GL + I + vocale: non pronunciamo la -i- separatamente	moglie, famiglia

GL

[gl]	
GL + A, E, O, U	inglese, glossario

2) I sostantivi

2.1 I sostantivi in -o/-a U1

maschile		femminile	
singolare	plurale	singolare	plurale
ragazzo	ragazzi	parola	parole

2.2 I sostantivi in -e U1

maschile		femminile	
singolare	plurale	singolare	plurale
nome	nomi	immagine	immagini
in -ore, -ale, -iere:		in -ione, -udine, -ice:	
colore	colori	lezione	lezioni
giornale	giornali	abitudine	abitudini
giardiniere	giardinieri	direttrice	direttrici

2.3 I sostantivi maschili in -logo U1

	singolare	plurale
cose	dialogo	dialoghi
persone	psicologo	psicologi

2.4 I sostantivi in -co/-ca e in -go/-ga U1 e U3

I sostantivi maschili in -co

	singolare	plurale
accento sulla penultima sillaba (eccezione: *amico-amici*)	banco	banchi
accento sulla terzultima sillaba	medico	medici

I sostantivi femminili in -ca

singolare	plurale
amica	amiche

I sostantivi in -go/-ga seguono le stesse regole dei sostantivi in -co/-ca.
Attenzione: il singolare di *i colleghi* è *il collega*!

2.5 I sostantivi maschili in -ma U3

singolare	plurale
problema	problemi

2.6 I sostantivi maschili in -io U3

	singolare	plurale
-i- non accentata	occhio	occhi
-i- accentata	zio	zii

2.7 I sostantivi femminili in -cia e in -gia U4

	singolare	plurale
consonante + CIA/GIA	arancia	arance
vocale + CIA/GIA	ciliegia	ciliegie
-i- accentata	farmacia	farmacie

2.8 I sostantivi invariabili al plurale U4

	singolare	plurale
accento sull'ultima sillaba	il caffè, la città	i caffè, le città
con consonante finale	il bar, l'email	i bar, le email
nomi abbreviati	la bici(cletta), l'auto(mobile), il cinema(tografo), la foto(grafia)	le bici(clette), le auto(mobili), i cinema(tografi), le foto(grafie)
parole straniere	la brioche, l'hobby	le brioche, gli hobby

2.9 I sostantivi in -ista U4

maschile		femminile	
singolare	plurale	singolare	plurale
il barista	i baristi	la barista	le bariste

2.10 I sostantivi maschili e femminili (professioni) U6

	maschile singolare	femminile singolare
in -o/-a	il commesso, il segretario, l'operaio	la commessa, la segretaria, l'operaia
in -e/-a	il cameriere	la cameriera
in -ista	il barista	la barista
in -ante	l'insegnante	l'insegnante
in -tore/-trice	il direttore, l'istruttore	la direttrice, l'istruttrice
in -ore/-oressa	il dottore, il professore	la dottoressa, la professoressa

Per alcuni nomi di professioni (*medico, architetto, ingegnere*) in genere usiamo la forma maschile: *Giovanna è ingegnere.* Accanto al termine *avvocato*, troviamo spesso anche *avvocatessa*.

2.11 I sostantivi con il plurale irregolare U8 e U9

Alcuni sostantivi maschili hanno il plurale irregolare: l'uomo – gli uomini.

Alcuni sostantivi sono maschili al singolare e femminili al plurale: l'uovo – le uova.

3 Gli aggettivi

3.1 Gli aggettivi in -o/-a U1

maschile		femminile	
singolare	plurale	singolare	plurale
bravo	bravi	brava	brave

3.2 Accordo sostantivi e aggettivi U1

maschile	
singolare	plurale
ragazzo straniero	ragazzi stranieri
studente straniero	studenti stranieri

femminile	
singolare	plurale
parola straniera	parole straniere
insegnante straniera	insegnanti straniere

3.3 Gli aggettivi in -co/-ca e in -go/-ga U1

Gli aggettivi maschili in -co

	singolare	plurale
accento sulla penultima sillaba (eccezione: greco-greci)	antico	antichi
accento sulla terzultima sillaba	simpatico	simpatici

Gli aggettivi femminili in -ca

singolare	plurale
simpatica	simpatiche

Gli aggettivi in -go/-ga prendono sempre la -h- al plurale: *lungo-lunghi, lunga-lunghe.*

3.4 Gli aggettivi in -e U2

maschile		femminile	
singolare	plurale	singolare	plurale
inglese	inglesi	inglese	inglesi

3.5 Gli aggettivi in -ista U8

maschile		femminile	
singolare	plurale	singolare	plurale
ottimista	ottimisti	ottimista	ottimiste

3.6 L'aggettivo bello + nome U8

	Articolo determinativo	Bello
maschile singolare	il matrimonio	bel matrimonio
	lo sposo	bello sposo
	l'invito	bell'invito
maschile plurale	i vestiti	bei vestiti
	gli sposi	begli sposi
femminile singolare	la famiglia	bella famiglia
	l'idea	bell'idea
femminile plurale	le scarpe	belle scarpe

3.7 Gli aggettivi di colore U10

maschile		femminile	
singolare	plurale	singolare	plurale
rosso	rossi	rossa	rosse
nero	neri	nera	nere
bianco	bianchi	bianca	bianche
grigio	grigi	grigia	grigie
giallo	gialli	gialla	gialle
azzurro	azzurri	azzurra	azzurre
verde	verdi	verde	verdi

Gli aggettivi di colore seguono il nome: *vestito nero, borsa rossa* ecc.

Gli aggettivi rosa, blu e viola sono invariabili: *un vestito rosa/blu/viola - due vestiti rosa/blu/viola - una gonna rosa/blu/viola - due gonne rosa/blu/viola.*

Gli aggettivi marrone e arancione possono rimanere invariati, ma di solito si accordano con il nome: *scarpe marrone/marroni, guanti arancione/arancioni.*

Gli aggettivi di colore seguiti da chiaro/scuro sono invariabili: *i pantaloni verde scuro.*

4) Gli articoli

4.1 L'articolo determinativo U2

	maschile		femminile	
	singolare	plurale	singolare	plurale
davanti a una consonante	il giorno	i giorni	la donna	le donne
davanti a una vocale	l'anno	gli anni	l'ora	le ore
davanti a S + consonante	lo studente	gli studenti		
davanti a Z, PN*, PS, GN, X, Y	lo zaino	gli zaini	*PN: accettati anche *il* e *i*.	

4.2 L'articolo indeterminativo U3

	maschile	femminile
davanti a una consonante	un dialogo	una donna
davanti a una vocale	un uomo	un'amica
davanti a S + consonante	uno studente	
davanti a Z, PN*, PS, GN, X, Y	uno zaino	*PN: accettato anche *un*.

5) I pronomi personali soggetto U1 e U4

	singolare	plurale
1ª persona	io	noi
2ª persona	tu	voi
3ª persona	lui, lei, Lei*	loro

In italiano non è obbligatorio esprimere il pronome personale soggetto. Di solito, usiamo i pronomi personali soggetto per dare enfasi: *Adesso tu aspetti qui!*

*In contesti formali diamo del Lei (sia a un uomo sia a una donna). Con più persone usiamo voi.

6) I verbi

6.1 Il presente indicativo

6.1.1 Presente indicativo dei verbi regolari

L'italiano ha tre gruppi, coniugazioni, di verbi: I) in -are; II) in -ere; III) in -ire.

	I coniugazione U3 parlare	II coniugazione U3 prendere	III coniugazione U4 offrire	U4 finire
io	parlo	prendo	offro	finisco
tu	parli	prendi	offri	finisci
lui, lei, Lei	parla	prende	offre	finisce
noi	parliamo	prendiamo	offriamo	finiamo
voi	parlate	prendete	offrite	finite
loro	parlano	prendono	offrono	finiscono
			aprire, dormire, partire, sentire ecc.	*capire, preferire, pulire, spedire* ecc.

6.1.2 Presente indicativo singolare di chiamarsi U2

io	mi chiamo
tu	ti chiami
lui, lei, Lei	si chiama

6.1.3 Particolarità dei verbi in -are al presente indicativo

a. Verbi in -iare U3

Alle persone *tu* e *noi* non raddoppiano la *i*: *mangi*, *studi*; *mangiamo*, *studiamo*.

b. Verbi in -gare/-care U4 e U6

Alle persone *tu* e *noi* aggiungiamo la lettera *h*: *paghi*, *giochi*; *paghiamo*, *giochiamo*.

6.1.4 Presente indicativo dei verbi irregolari

	U1	U2	U3	U4	U5
	essere	**avere**	**stare**	**bere**	**andare**
io	sono	ho	sto	bevo	vado
tu	sei	hai	stai	bevi	vai
lui, lei, Lei	è	ha	sta	beve	va
noi	siamo	abbiamo	stiamo	beviamo	andiamo
voi	siete	avete	state	bevete	andate
loro	sono	hanno	stanno	bevono	vanno

	U5	U5	U5	U5	U5
	venire	**fare**	**sapere**	**piacere**	**proporre**
io	vengo	faccio	so	piaccio	propongo
tu	vieni	fai	sai	piaci	proponi
lui, lei, Lei	viene	fa	sa	piace	propone
noi	veniamo	facciamo	sappiamo	piacciamo	proponiamo
voi	venite	fate	sapete	piacete	proponete
loro	vengono	fanno	sanno	piacciono	propongono

	U5	U5	U5	U5	U5
	rimanere	**salire**	**scegliere**	**sedere**	**spegnere**
io	rimango	salgo	scelgo	siedo	spengo
tu	rimani	sali	scegli	siedi	spegni
lui, lei, Lei	rimane	sale	sceglie	siede	spegne
noi	rimaniamo	saliamo	scegliamo	sediamo	spegniamo
voi	rimanete	salite	scegliete	sedete	spegnete
loro	rimangono	salgono	scelgono	siedono	spengono

	U5	U5	U5	U6
	tenere	**tradurre**	**uscire**	**dire**
io	tengo	traduco	esco	dico
tu	tieni	traduci	esci	dici
lui, lei, Lei	tiene	traduce	esce	dice
noi	teniamo	traduciamo	usciamo	diciamo
voi	tenete	traducete	uscite	dite
loro	tengono	traducono	escono	dicono

6.1.5 Particolarità dei verbi in -(s)cere e -gere al presente indicativo U6

Cambia la pronuncia alle persone *io* e *loro* perché c e g prima di o hanno rispettivamente il suono duro [k] e [g]: *conosco, conoscono; leggo, leggono.*

6.1.6 Presente indicativo dei verbi modali (potere, volere e dovere) U9

	potere	volere*	dovere	
io	posso	voglio	devo	
tu	puoi	vuoi	devi	
lui, lei, Lei	può	vuole	deve	+ infinito
noi	possiamo	vogliamo	dobbiamo	
voi	potete	volete	dovete	
loro	possono	vogliono	devono	

Può portare il conto?

Vogliamo ordinare, ragazzi?

Dovete decidere!

*Dopo volere possiamo trovare anche un sostantivo: *Voglio la pizza.* In questo caso, al posto di "voglio" è preferibile usare "vorrei" (più gentile): *Vorrei una pizza margherita.*

6.1.7 Presente indicativo dei verbi riflessivi U10

	alzarsi	mettersi	vestirsi
io	mi alzo	mi metto	mi vesto
tu	ti alzi	ti metti	ti vesti
lui, lei, Lei	si alza	si mette	si veste
noi	ci alziamo	ci mettiamo	ci vestiamo
voi	vi alzate	vi mettete	vi vestite
loro	si alzano	si mettono	si vestono

Nelle frasi negative "non" va prima del pronome: *La domenica non mi alzo mai prima delle 11!*

6.1.8 I verbi riflessivi con i modali (potere, volere e dovere) U10

Con potere, volere e dovere il pronome riflessivo (mi, ti, si, vi, ci, si) va prima del verbo modale oppure si unisce all'infinito.

Non mi posso truccare.		Non posso truccarmi.
Ci vogliamo svegliare tardi.	=	Vogliamo svegliarci tardi.
Perché ti devi nascondere?		Perché devi nasconderti?

6.1.9 C'è / Ci sono U3

davanti a un sostantivo al singolare	Nel mio palazzo c'è una coppia un po' strana.
davanti a un sostantivo al plurale	Ci sono problemi?

6.1.10 Mi piace U5

(non) mi piace +	infinito	Mi piace andare a ballare.
	sostantivo al singolare	Non mi piace molto il sushi.

6.1.11 Mi/Ti piacciono, mi/ti piace U9

(non) **mi/ti piacciono** +	sostantivo al plurale	Ti piacciono **gli spaghetti al ragù?**
(non) **mi/ti piace** +	sostantivo al singolare	Mi piace **il tiramisù.**
	infinito	Ti piace **andare a mangiare fuori?**

6.2 Il passato prossimo

6.2.1 Formazione del passato prossimo U11

presente indicativo di avere / essere + participio passato — Il passato prossimo esprime un'azione del passato finita.

6.2.2 Participio passato dei verbi regolari U11

and**are**	av**ere**	cap**ire**
and**ato**	av**uto**	cap**ito**

6.2.3 Passato prossimo con avere U11

io	ho capito
tu	hai capito
lui, lei, Lei	ha capito
noi	abbiamo capito
voi	avete capito
loro	hanno capito

6.2.4 Passato prossimo con essere U11

io	sono andato/a
tu	sei andato/a
lui, lei, Lei	è andato/a
noi	siamo andati/e
voi	siete andati/e
loro	sono andati/e

Con avere il participio passato non cambia.

Con essere il participio passato può essere al femminile, al maschile, al singolare e al plurale: si accorda (come gli aggettivi) con il soggetto.

6.2.5 Passato prossimo: ausiliare essere o avere? U11

avere +	*avere*
	tutti i verbi transitivi (che hanno un complemento oggetto e che rispondono alla domanda *chi? / che cosa?*): *capire, comprare, dimenticare, lasciare* ecc.
	alcuni verbi intransitivi: *dormire, lavorare, ridere* ecc.
	alcuni verbi di movimento: *camminare, viaggiare* ecc.

essere +	*essere*
	molti verbi di movimento: *andare, arrivare, entrare, partire, salire, scendere, tornare, uscire, venire* ecc.
	verbi di stato in luogo: *restare, rimanere, stare* ecc.
	molti verbi intransitivi: *crescere, diventare, morire, nascere, piacere* ecc.
	tutti i verbi riflessivi: *alzarsi, svegliarsi, truccarsi* ecc. (in *Via del Corso A2*)

6.2.6 Participi passati irregolari U12

accendere	(ha) acceso		offrire	(ha) offerto
ammettere	(ha) ammesso		perdere	(ha) perso/perduto
appendere	(ha) appeso		permettere	(ha) permesso
aprire	(ha) aperto		piangere	(ha) pianto
bere	(ha) bevuto		prendere	(ha) preso
chiedere	(ha) chiesto		promettere	(ha) promesso
chiudere	(ha) chiuso		proporre	(ha) proposto
concedere	(ha) concesso		raccogliere	(ha) raccolto
concludere	(ha) concluso		ridere	(ha) riso
convincere	(ha) convinto		rimanere	(è) rimasto
correggere	(ha) corretto		risolvere	(ha) risolto
correre	(ha/è) corso		rispondere	(ha) risposto
decidere	(ha) deciso		rompere	(ha) rotto
deludere	(ha) deluso		scegliere	(ha) scelto
difendere	(ha) difeso		scendere	(ha/è) sceso
dipendere	(è) dipeso		scomparire	(è) scomparso
dire	(ha) detto		scrivere	(ha) scritto
dirigere	(ha) diretto		soffrire	(ha) sofferto
discutere	(ha) discusso		spegnere	(ha) spento
distinguere	(ha) distinto		spendere	(ha) speso
distruggere	(ha) distrutto		spingere	(ha) spinto
dividere	(ha) diviso		succedere	(è) successo
escludere	(ha) escluso		tradurre	(ha) tradotto
esistere	(è) esistito		trarre	(ha) tratto
esplodere	(ha/è) esploso		uccidere	(ha) ucciso
esprimere	(ha) espresso		vedere	(ha) visto
essere	(è) stato		venire	(è) venuto
fare	(ha) fatto		vincere	(ha) vinto
giungere	(è) giunto		vivere	(ha/è) vissuto
insistere	ha insistito			
leggere	(ha) letto		conoscere	(ha) conosciuto
mettere	(ha) messo		crescere	(ha/è) cresciuto
morire	(è) morto		piacere	(è) piaciuto
muovere	(ha) mosso			
nascere	(è) nato			
nascondere	(ha) nascosto			
offendere	(ha) offeso			

Alcuni verbi che finiscono
in -(s)cere prendono una -i-
prima di -uto.

7) I numeri

7.1 I numeri da 0 a 10 U1

0	zero	3	tre	6	sei	9	nove
1	uno	4	quattro	7	sette	10	dieci
2	due	5	cinque	8	otto		

7.2 I numeri da 11 a 30 U2

11	undici	16	sedici	21	ventuno	26	ventisei
12	dodici	17	diciassette	22	ventidue	27	ventisette
13	tredici	18	diciotto	23	ventitré	28	ventotto
14	quattordici	19	diciannove	24	ventiquattro	29	ventinove
15	quindici	20	venti	25	venticinque	30	trenta

Dopo il 20 cade la vocale prima di uno e otto, la -e di tre è accentata (é).

7.3 I numeri da 30 a 101 U3

30	trenta	60	sessanta	100	cento
31	trentuno	70	settanta	101	centouno
40	quaranta	80	ottanta		
50	cinquanta	90	novanta		

In centouno non cade la -o- prima di uno.

7.4 I numeri da 101 a 10.000 U5

101	centouno	600	seicento	2.000	duemila	6.500	seimilacinquecento
200	duecento	700	settecento	3.000	tremila	7.000	settemila
300	trecento	800	ottocento	4.000	quattromila	8.000	ottomila
400	quattrocento	900	novecento	5.000	cinquemila	9.000	novemila
500	cinquecento	1.000	mille	6.000	seimila	10.000	diecimila

Cento è invariabile. Attenzione: *centouno, centootto, centoundici*, ma *centottanta*!
Diciamo *mille* (1.000), ma *diecimila* (10.000).

7.5 I numeri ordinali U6

1°	primo	6°	sesto	11°	undicesimo	16°	sedicesimo
2°	secondo	7°	settimo	12°	dodicesimo	17°	diciassettesimo
3°	terzo	8°	ottavo	13°	tredicesimo	18°	diciottesimo
4°	quarto	9°	nono	14°	quattordicesimo	19°	diciannovesimo
5°	quinto	10°	decimo	15°	quindicesimo	20°	ventesimo

Dall'11° in poi aggiungiamo -esimo al numero (senza la vocale finale): *undici* ➜ *undic* + *esimo* = *undicesimo*.

Negli ordinali che contengono tre o sei conserviamo la vocale finale del numero: *ventitreesimo, ventiseiesimo*.

I numeri ordinali sono come gli aggettivi in -o: abbiamo quindi *primo, primi, prima* (e scriviamo 1ª), *prime* e *dodicesimo, dodicesimi, dodicesima, dodicesime*.

8) I giorni della settimana U5

lunedì
martedì
mercoledì
giovedì
venerdì
sabato
domenica

In italiano i giorni della settimana cominciano con la lettera minuscola.
Lunedì è il primo giorno della settimana.
I giorni da *lunedì* a *venerdì* hanno la -*i* finale accentata.
I giorni, ad eccezione della domenica, sono maschili.

9) I mesi dell'anno U6

gennaio	maggio	settembre
febbraio	giugno	ottobre
marzo	luglio	novembre
aprile	agosto	dicembre

10) Le stagioni U6

la primavera (marzo, aprile, maggio)
l'estate* (giugno, luglio, agosto)
l'autunno (settembre, ottobre, novembre)
l'inverno (dicembre, gennaio, febbraio)

estate è femminile

11) I possessivi

11.1 Gli aggettivi possessivi (al singolare) U4

	maschile	**femminile**
(io)	il mio libro	la mia penna
(tu)	il tuo libro	la tua penna
(lui, lei, Lei)	il suo libro	la sua penna

Gli aggettivi possessivi di solito vanno prima del nome e prendono l'articolo (attenzione: *a casa mia*).

11.2 I pronomi possessivi U4

I pronomi possessivi hanno la stessa forma degli aggettivi, sostituiscono un nome e quindi stanno da soli: *La tua casa è molto grande; la mia è abbastanza piccola.*
Dopo il verbo *essere* di solito non prendono l'articolo: *Questo cellulare è tuo?*

11.3 Gli aggettivi possessivi (II) U8

	singolare		plurale	
	maschile	**femminile**	**maschile**	**femminile**
(io)	il mio nome	la mia paura	i miei amici	le mie giornate
(tu)	il tuo succo	la tua cucina	i tuoi libri	le tue amiche
(lui, lei)	il suo caffè	la sua scuola	i suoi figli	le sue scarpe
(Lei)	il Suo paese	la Sua età	i Suoi occhi	le Sue parole
(noi)	il nostro tavolo	la nostra vita	i nostri hobby	le nostre vacanze
(voi)	il vostro amico	la vostra città	i vostri parenti	le vostre colleghe
(loro)	il loro autobus	la loro casa	i loro soldi	le loro azioni

Gli aggettivi possessivi di solito vanno prima del sostantivo e prendono l'articolo (diciamo però *Venite a casa mia?*).

11.4 Gli aggettivi possessivi con i nomi di parentela U8

senza articolo determinativo

nomi di parentela al singolare	mia madre, mio padre, nostro figlio, mio fratello, mia sorella, nostro zio, sua zia, vostro cugino, Sua nipote, nostro nonno

con articolo determinativo

nomi di parentela al plurale	i miei fratelli, le nostre sorelle, i nostri figli, le vostre figlie
loro (anche singolare)	la loro madre, il loro padre
nomi "affettivi"	la mia mamma, il mio papà, il nostro babbo
nomi + aggettivo	la mia zia preferita
nomi alterati	la mia sorellina, la nostra nipotina

L'articolo indeterminativo si mette sempre: *Esco con Piero, un mio cugino.*

12) I dimostrativi

12.1 I pronomi dimostrativi U4

	maschile		femminile	
	singolare	**plurale**	**singolare**	**plurale**
vicino alla persona che parla	questo	questi	questa	queste
lontano dalla persona che parla	quello	quelli	quella	quelle

12.2 L'aggettivo questo U4

L'aggettivo questo ha le stesse forme del pronome:
questo cornetto, questi panini, questa spremuta, queste brioche

Spesso, nella lingua parlata usiamo con questo e quello rispettivamente qui e lì:
Preferisci questo tramezzino qui o quello lì?

12.3 L'aggettivo quello U10

	Articolo determinativo	Quello
maschile singolare	**il** giubbotto	quel giubbotto
	lo stivale	quello stivale
	l'abito	quell'abito
maschile plurale	**i** guanti	quei guanti
	gli stivali	quegli stivali
femminile singolare	**la** borsa	quella borsa
	l'arancia	quell'arancia
femminile plurale	**le** scarpe	quelle scarpe

13) Le preposizioni

13.1 Le preposizioni semplici U5

Le preposizioni semplici sono a, di, da, in, con, su, per, tra/fra e possono avere diversi usi e significati, vediamo qualche esempio.

DI	L'idea è di Gianni. Sono insegnante d'italiano*. Quello è il vicino di Anna. Parlano solo di soldi.

CON	Parto con Franco. Anna parla con Bruno. È il tipo con i baffi.

A	Carla telefona ad Anna**. A colazione preferisco bere solo un caffè.

SU	Sono con Gianni su Skype.

DA	Carla e Anna sono amiche da molti anni.

PER	Carla è troppo bella per te! Il pacco è per Alice. Hai tempo per un caffè? Per me un succo di frutta.

IN	C'è lo sport in TV.

TRA/ FRA	Firenze è tra Bologna e Roma. La lezione comincia tra pochi minuti.

*DI davanti a una vocale può prendere l'apostrofo.

**A davanti a un'altra "a" prende la "d".

13.2 Le preposizioni IN, A (AL), DA, DI, PER con essere, andare, venire, partire U5

essere/andare/venire	IN	*Italia* (Paesi) / *Europa* (continenti) / *Lombardia* (regioni) *macchina* (mezzi di trasporto) *dicembre* (mesi) *centro, ufficio, vacanza, banca, montagna* *farmacia, pizzeria, via* (nomi in -*ia*) *biblioteca* (nomi in -*teca*)
	A	*Firenze* (città) *piedi, teatro, casa, scuola, letto, pranzo* *ballare* (verbi all'infinito) *una festa, un concerto*
	AL*	*cinema, bar, ristorante, mare, museo*
	DA	*Elena, un amico, lui/lei* (persone)
essere	DI	*Firenze* (città)
venire/partire	DA	*Firenze* (città)
partire	A	*dicembre* (mesi)
	PER	*Firenze* (città)
	IN	*dicembre* (mesi) *macchina* (mezzi di trasporto)

*AL = *a + il*

13.3 Le preposizioni articolate U6 e U7

+	il	lo	l'	la	i	gli	le
a	al	allo	all'	alla	ai	agli	alle
di	del	dello	dell'	della	dei	degli	delle
da	dal	dallo	dall'	dalla	dai	dagli	dalle
in	nel	nello	nell'	nella	nei	negli	nelle
su	sul	sullo	sull'	sulla	sui	sugli	sulle
con	con il	con lo	con l'	con la	con i	con gli	con le
fra	fra il	fra lo	fra l'	fra la	fra i	fra gli	fra le
tra	tra il	tra lo	tra l'	tra la	tra i	tra gli	tra le
per	per il	per lo	per l'	per la	per i	per gli	per le

13.4 Alcuni usi delle preposizioni articolate A e DI U6

A

orario	Il negozio apre alle 9 e chiude all'una. / Il treno parte alle 11. **MA:** *a mezzogiorno/mezzanotte*
frequenza	Vado in palestra tre volte alla settimana.
luogo	Vado al bar/cinema/mare/museo/parco. / Vado allo stadio. / Vado all'università. **MA:** Vado a casa/teatro/scuola (solo se specifichiamo, è articolata: *al Teatro Manzoni*).

DI

possesso	Questo pacco è della vicina.
argomento	I ragazzi parlano dell'amica di Laura. **MA:** I giovani parlano spesso di musica.
per specificare	È il direttore del Museo Romano.

13.5 Altri usi di A U6

a che età facciamo qualcosa	a 24 anni
prima del complemento indiretto	chiedere soldi ai genitori
scopo	andare a lavorare

13.6 Alcuni usi delle preposizioni articolate PER, IN, DA, A, SU, DI U7

tempo	Avete dei pacchetti per la settimana bianca? Nel pomeriggio c'è Irene, la nuova collega.
durata	Dal 3 al 6 gennaio. Dalle 9 del mattino alle 8 di sera.
destinazione/ luogo	Va sul Gran Sasso ogni anno. Il tuo libro è sul tavolo. Un mio amico parte per la Cina.
per specificare	Dalle 9 del mattino. Date un'occhiata sul sito dell'agenzia.

13.7 Alcuni usi delle preposizioni FRA/TRA, PER, DI, DA (articolata), A (articolata) U7

momento futuro	Fra/Tra una settimana Domenico e Carmen tornano in Spagna.
scopo	Lui esce solo per comprare qualche libro di architettura.
durata	Vengono in Italia per una settimana.
argomento	Parla sempre di lavoro.
provenienza	Arrivano dalla Spagna.
movimento verso persone	Va dal giornalaio.
destinazione	Andiamo all'aeroporto.

13.8 Le preposizioni semplici e articolate con i verbi di movimento: sintesi U7

		Preposizione semplice	Preposizione articolata
A	destinazione	Vado/Vengo a Roma, a teatro, a scuola, a casa, a lezione, a letto ecc.	Vado/Vengo all'aeroporto, all'estero, al bar, al cinema, al ristorante, al mare, al Teatro *Manzoni*, alla scuola americana ecc.
IN		Vado/Vengo in Italia, in Europa, in Toscana, in ufficio, in banca, in albergo, in biblioteca, in pizzeria, in montagna, in città, in centro ecc.	Vado/Vengo negli Stati Uniti, nell'Italia del Sud, nell'ufficio del direttore, nella (alla) biblioteca della scuola, nella (alla) pizzeria sotto casa ecc.
SU			Vado/Vengo sulle Alpi, sul Gran Sasso ecc. Salgo sull'aereo, sull'autobus.
PER		Parto per Firenze ecc.	Parto per la Svizzera, per l'Asia ecc.
DA	movimento verso persone	Vado da Anna, da lei ecc. Vengo anch'io da Anna, da te ecc.	Vado dal giornalaio, dal dottore ecc. Vengo con te dal dottore ecc.
	moto da luogo / provenienza e origine	Vengo da Roma ecc. Esco da scuola, da casa di Giulia* ecc.	Vengo dall'Italia, dall'America ecc. Esco dall'ufficio ecc.

*Ma *Esco di casa.*

13.9 Preposizioni per localizzare oggetti nello spazio U9

SOPRA + articolo + nome	Il piatto è sopra il tavolo*.
TRA/FRA + articolo + nome + **E** + articolo + nome	L'olio è tra il pepe e il sale.
AL CENTRO + **DI** + articolo + nome	La bottiglia dell'acqua è al centro del tavolo.
DIETRO + articolo + nome	Il pane è dietro il pepe*.
SOTTO + articolo + nome	Il tovagliolo è sotto il coltello*.
DAVANTI + **A** + articolo + nome	Il piatto è davanti ai bicchieri.
DENTRO + articolo + nome	L'acqua è dentro la bottiglia.
ACCANTO + **A** + articolo + nome	Il coltello è accanto al cucchiaio.

*Dopo sopra, sotto, dietro possiamo usare anche A + articolo: *sopra al tavolo, dietro al pepe, sotto al coltello.*

13.10 La preposizione fino a U10

Lavoro fino a tardi.
Lavoro dalle 9 fino alle 18.

Vado fino a scuola a piedi.
Puoi andare in treno fino all'aeroporto.

13.11 Le preposizioni con i capi di abbigliamento, scarpe e accessori U10

DI	materiale	giubbotto di pelle, guanti di lana
A	disegno/ fantasia	cravatta a tinta unita, cravatta a righe
DA	uso/scopo	tuta da ginnastica, scarpe da ginnastica

13.12 Le preposizioni con i mezzi di trasporto: sintesi U11

Venire/Andare/Partire...

IN (semplice)		CON (articolata)	
in macchina	in scooter	con la macchina	con lo scooter
in metro	in autobus	con la metro	con l'autobus
in tram	in nave	con il tram	con la nave
in treno	in moto	con il treno	con la moto
in bici	in aereo	con la bici	con l'aereo

Vengo a Roma in treno. = *Vengo a Roma con il treno.*

Usiamo solo CON + articolo se specifichiamo con quale mezzo veniamo/andiamo/partiamo:

*Parto per Roma con il **treno delle 9**.*

*Vado in ufficio con la **macchina di mio padre**.*

A PIEDI

Vado a scuola a piedi.

Attenzione: *in piedi* significa che non siamo seduti, non indica nessun movimento:
*L'autobus è pieno e viaggio in **piedi**.*

Salire...	Scendere...
SU (articolata)	**DA (articolata)**
sulla macchina (più comune *in macchina*)	dalla macchina
sulla metro	dalla metro
sul tram	dal tram
sul treno	dal treno
sulla bici	dalla bici
sullo scooter	dallo scooter
sull'autobus	dall'autobus
sulla nave	dalla nave
sulla moto	dalla moto
sull'aereo	dall'aereo

14) Gli avverbi

14.1 Gli avverbi di frequenza U5

Tu hai sempre paura!

Litiga spesso con la moglie.

Raramente vado a teatro.

Non hai mai voglia di discutere tu!

14.2 Ci di luogo U6

• Il direttore è ancora in Egitto.

• Ci va spesso?

Ci sostituisce un luogo: vuol dire "qui/qua" o "lì/là".

14.3 Avverbi di tempo con il passato prossimo U12

Noi abbiamo già deciso.

Non ha ancora denunciato la scomparsa della moglie!

Siamo appena tornati dalle vacanze.

Ha sempre giocato bene a calcio.

Non hanno mai fatto un viaggio in Italia.

Non sono più uscite con i loro cugini.

Di solito gli avverbi già, ancora, appena, sempre, mai e più vanno tra l'ausiliare *essere* o *avere* e il participio passato.

15) L'ora e l'orario

15.1 Che ora è? / Che ore sono? U5

Sono le sei meno venti.

Sono le tre e un quarto.

Sono le dieci e mezzo/a.

È mezzanotte/mezzogiorno/l'una.

In Italia a volte usiamo anche l'orologio di 24 ore: *Sono le venti. = Sono le otto (di sera).*

15.2 A che ora? U6

Alle undici.

A mezzogiorno/mezzanotte.

All'una.

Alle diciotto.

Negli orari ufficiali usiamo l'orologio di 24 ore: *Il museo chiude alle diciassette.* *Il treno parte alle dodici e trenta.*

16) La frase

16.1 La frase affermativa e interrogativa U1

a. Lui è italiano.

b. Lui è italiano?

In italiano la frase **interrogativa** (b) ha la stessa costruzione della frase **affermativa** (a), ma la pronuncia ha un'intonazione ascendente [↗].

16.2 La frase negativa U2

Per formare le frasi negative mettiamo "non" prima del verbo: *Lui non è italiano.*

Indice dei CD audio

CD 1 [53'00"]

CD 2 [62'00"]

Sul sito www.edilingua.it e su www.i-d-e-e.it è disponibile la versione rallentata.

Componenti del corso

 Libro dello studente ed esercizi

 Libro dello studente digitale
con tracce audio

 Guida per l'insegnante

 Gioco di società

 Software per la LIM

Materiali per studenti

Su idee.it

 Eserciziario interattivo

 2 CD audio (anche in versione rallentata)

 Video (episodi sit-com, fumetto animato, video culturali)

 Giochi interattivi

Su App Store e Google Play

 Glossario interattivo in 16 lingue

Materiali per insegnanti

Su idee.it

 Autovalutazione ogni 2 unità e Autovalutazione finale

 Test finali per unità, Test finale (livello A1) e Test di progresso

Su www.edilingua.it

 Guida digitale per l'insegnante

 2 CD audio (anche in versione rallentata)

 Glossario monolingue

 Materiali extra